Ulster-Scots Names for People

ULSTER-SCOTS NAMES FOR

PEOPLE

Surnames, First Names, Nicknames &
Descriptive Names

Philip Robinson

PUBLISHED BY THE ULSTER-SCOTS ACADEMY PRESS FOR
THE ULSTER-SCOTS LANGUAGE SOCIETY

The word lists in this handbook have been compiled and edited by Philip Robinson from the multi-volume *English to Ulster-Scots Historical Dictionary* database collated and deposited by him in the language development collections of the Ulster-Scots Language Society and the Ulster-Scots Academy.

Cover illustration: The Muckleboy (McAvoy) family on Mid Isle, Greba (Greyabbey) c. 1900. This is the island 'hame' so vividly described in Ulster-Scots by Will McAvoy (Wull Muckleboy) on the first audio cassette produced by the Ulster-Scots Language Society in 1995 called *Hairts o Greba*. Will is a founding member and Vice-President of the USLS, and the photo includes his Grandfather (right) and Uncle Paitie (Patrick) Muckleboy (centre).

ISBN 978-1-8384549-4-4

CONTENTS

ULSTER-SCOTS FORMS OF SURNAMES

This list is intended to provide the Ulster-Scots language forms of many common surnames in the traditional Ulster-Scots speaking areas, but only where there is an attested form that is different from the 'official' one – and nowadays the 'legal' one – (for example, *Bailye* for 'Bailey' or 'Bailie'). There are, of course, many common surnames such as Beggs, Bell, or Boyd that have the same form in English and Ulster-Scots, and these are not included.

Where appropriate, historical examples of selected individual Ulster-Scots forms are provided from the comprehensive *English to Ulster-Scots Historical Dictionary* database compiled by the Ulster-Scots Academy and the Ulster-Scots Language Society.

Abercrombie = Cromie

Abernethy = Aberneathie

Acheson = Eetchysin

— 1. *'Tammy **Aicheson**, and Robert M'Cloy, had chairge'* (1906 Newsp., John McFall (An Aul Han), Northern Constitution: 'An Aul' Han' on Current Topics (I)');

— 2. '***Eetchyson*** = *Acheson*' (1995 James Fenton, 'Hamely Tongue')

Adair = Edair

Adams = Eddams
— 1. '*Eddams* = *Adams*' (1995 James Fenton, 'Hamely Tongue')

Adamson = Eddamsin

Agnew = Egnew

Aiken, Aitken = Eakin

Alderdice = Allardice

Alexander = Elshindèr
— 1. '*Auld An'rew **Macalshinder** [Alexander] was spokesman'* (1902 Prose, Archibald McIlroy 'The Comit-tee');
— 2. '***Elshinder** (-dh-), **Essender** (-dh-), **McAlshender** (-dh-), = Alexander*' (1995 James Fenton, 'Hamely Tongue')

Alison = Allysin

Allen = Allan

Allison = Ellysin

Allister = Allystèr

— 1. '*Allyster (-tth-)* = *Allister*' (1995 James Fenton, 'Hamely Tongue')

Anderson = Annèrsin

— 1. '*Mistress **Annerson** carryin' the twuns*' (c.1880 Prose, W. G. Lyttle 'His Tay Perty');

— 2. '*Antherson* = *Anderson*' (1995 James Fenton, 'Hamely Tongue');

— 3. '*The following words with '-nd-' spellings in their English equivalents are provided in The Hamely Tongue: under — unther (here spelt unnèr), underground — unthergrun (here spelt unnèrgrun), thunder — thunther (here spelt thunnèr), wander — wanther (here spelt wannèr), Anderson — **Antherson** (here spelt **Andèrson**), render — renther (here spelt rennèr)*' (1997 Philip Robinson, 'Ulster-Scots Grammar: Spelling and Pronunciation')

Angus = Engus

— 1. '*Engus* = *Angus*' (1995 James Fenton, 'Hamely Tongue')

Archer = Aircher

— 1. '*Aircher* = *Archer*' (1995 James Fenton, 'Hamely Tongue')

Archibald = Airchybal

— 1. '*Airchybal* = *Archibald*' (1995 James Fenton, 'Hamely Tongue')

Armour = Airmour

— 1. '*Airmour* = *Armour*' (1995 James Fenton, 'Hamely Tongue')

Arnold = Arnol

— 1. '*Arnol* = *Arnold*' (1995 James Fenton, 'Hamely Tongue')

Ashe = Eshe

— 1. '*Eshe* = *Ashe*' (1995 James Fenton, 'Hamely Tongue')

Atkinson = Eckysin

— 1. '*Eckyson* = *Atkinson*' (1995 James Fenton, 'Hamely Tongue')

Bailey, Bailie, Baillie, Baily = Bailye

— 1. '*if he wur ony frien tae Rabert **Bailyee** o' Ballyviggis Mill*' (c.1880 Prose, W. G. Lyttle 'His Trip tae Glesco');

— 2. '*Bailye* = *Bailey*' (1995 James Fenton, 'Hamely Tongue');

(hist.) **Bailze**

— 1. '*One individual letter that was common to Older Scots and Middle English in the medieval period was called 'yogh', and was generally written: ʒ. However, in Early and Middle Scots manuscripts, from the 14th century, the letters ʒ and z were indistinguishable as z, for example in zouth and zele ('youth' and 'zeal'). 16th century Scots printers' took to printing z for both, because there was no separate ʒ font. By 1600, most Scots writers were using the z form of the letter as equivalent to 'y' in English. This was most frequently at the beginning of words such as ze ('you') and* *zeir ('year') ... A number of surnames retain the traces of 'yogh' letter and sound. Dalzell, although not normally pronounced 'Da-yell' in Ulster today, would often be so pronounced in Scotland. The Antrim name MacFadzean is of course pronounced [macfadge-yin], and the surnames **Bailey** and Taylor are pronounced [**bail-ye**] and [tail-yer] in Ulster-Scots, and The Hamely Tongue gives the spelling bailye for 'bailiff'. The early spellings of these names were **Bailze** and Tailzer.'* (1997 Philip Robinson, 'Ulster-Scots Grammar: Spelling and Pronunciation')

Barber = Bairber

— 1. '***Bairber*** = *Barber*' (1995 James Fenton, 'Hamely Tongue')

Baxter = Baxtèr

— 1. '***Baxter*** *(-tth-)* = *Baxter*' (1995 James Fenton, 'Hamely Tongue')

Beattie, Beatty = Baittie

— 1. '***Baittie*** = *Beattie*' (1995 James Fenton, 'Hamely Tongue')

Beckett = Bickett

— 1. '***Bickett*** = *Beckett*' (1995 James Fenton, 'Hamely Tongue')

Bellingham = Billyjim

— 1. '***Billygem*** *(-j-)* = *Bellingham*' (1995 James Fenton, 'Hamely Tongue')

Beverland = Beverlan

— 1. '***Beverlan*** = *Beverland*' (1995 James Fenton, 'Hamely Tongue')

Bigger = Biggar

Birch = Burch

Black = Bleck

— 1. '***Blak** (-ah-),* **Bleck** = ' (1995 James Fenton, 'Hamely Tongue')

Booth = Boothe

— 1. '***Boothe** (r. soothe) = Booth*' (1995 James Fenton, 'Hamely Tongue')

Boreland = Borelan

— 1. '***Borelan*** = *Boreland*' (1995 James Fenton, 'Hamely Tongue')

Boyle = Boal

— 1. '*aun streeches fae **Boal**'s Roadenns tae Gray's Roadenns*' (2001 Prose, John M'Gimpsey Johnston 'Another Ulster-Scots Writer' in Ullans, Nummer 8)

Bradley = Broddelty

— 1. '***McBroddlety*** = *Bradley*' (1995 James Fenton, 'Hamely Tongue')

Brennan = Brenyan

— 1. '**Brenyan** = *Brennan*' (1995 James Fenton, 'Hamely Tongue')

Brockerton = Brocherton

— 1. '**Brocherton** = *Brockerton*' (1995 James Fenton, 'Hamely Tongue')

Brown = Broon

— 1. '*send this Letter to James* **Broon**' (1767 Prose, James Murray, 'Letter to Rev. Baptist Boyd');
— 2. '*Jeanie* **Broon** *brocht in a big bowl o' watter*' (c.1880 Prose, W. G. Lyttle 'The Chris'nin');
— 3. '*Am terribly sorry tae hae record the deth o' Jamie* **Broon**, *oor ain station-mester*' (1906 Newsp., John McFall (An Aul Han), Northern Constitution: 'Bushside Letter (I)');
— 4. '**Broon** = *Brown*' (1995 James Fenton, 'Hamely Tongue')

Brownlow = Brimley

— 1. '**Brimley** = *Brownlow*' (1995 James Fenton, 'Hamely Tongue')

Bruce = Brice

Buller = Büller

— 1. '**Buller** *(r. duller)* = *Buller*' (1995 James Fenton, 'Hamely Tongue')

Bunting = Buntin

— 1. '***Buntin*** = *Bunting*' (1995 James Fenton, 'Hamely Tongue')

Calderwood = Catherwud

— 1. '***Catherwud*** = *Calderwood*' (1995 James Fenton, 'Hamely Tongue')

Caldwell = Calwell

— 1. '***Calwal*** *(-wal'),* ***Calwell*** *(-well')* = *Caldwell*' (1995 James Fenton, 'Hamely Tongue')

Calligan = Calgin

— 1. '"*Mr.* ***Calgin***,—*that's what Airchy caa'd ye, I think*' (1875 Prose, W. R. Ancketill, 'The Adventures of Mick Callighin, M.P. A Story of Home Rule')

Campbell = Cammle, Cawmil

— 1. '***Cawmil*** *they ca' me in Coonty Doon; we're a' Scoatch in thae pairts … ye ken a' the* ***Cawmills*** *claims kin wi' the Deuk o' Argyle … "I doot, Mr. Calgin," said Mr.* ***Campbell***, *"we'll hae to pairt: gin ye iver come noarth, to Doon or Antrim, speer for Airchie* ***Cawmel*** *o' Killinchy"*' (1875 Prose, W. R. Ancketill, 'The Adventures of Mick Callighin, M.P. A Story of Home Rule and the De Burghos');
— 2. '***Cammle*** = *Campbell*' (1995 James Fenton, 'Hamely Tongue')

Carey = Keery

— 1. '*Keery* = *Carey*' (1995 James Fenton, 'Hamely Tongue')

Carmichael = Carmichel

— 1. '*Carmichel (-ch-)* = *Carmichael*' (1995 James Fenton, 'Hamely Tongue')

Carpenter = Cairpentèr

— 1. '*Cairpenter (-tth-)* = *Carpenter*' (1995 James Fenton, 'Hamely Tongue')

Carson = Kesson

— 1. '*Kesson, loc.*= *Carson*' (1995 James Fenton, 'Hamely Tongue')

Carter = Cartèr

— 1. '*Carter (-tth-)* = *Carter*' (1995 James Fenton, 'Hamely Tongue')

Cassidy = Keshidy

— 1. '*Keshidy* = *Cassidy*' (1995 James Fenton, 'Hamely Tongue')

Caulfield = Caffle

— 1. '*Caffle* = *Caulfield*' (1995 James Fenton, 'Hamely Tongue')

Chandler = Chanlor

— 1. '*Chandler* = **Chanlor**' (1712-1736 Hist., Funeral Register of First Belfast Presbyterian Church)

Chichester = Cheichester

— 1. '*Rycht worthie and loving brother, my love remembrit. We expectid to have sine yow longe sence. Ye shall wit that their hes bin servants of my Lord* **Cheichesters** *heir taking possesione in Gilgorm to the use of my Lord* **Cheichester**' (1627 letter from Robert Adair of Ballemenagh to Archibald Edmonstone, Report on Manuscripts in Various Collections, Vol. V, The Manuscripts of Sir Archibald Edmonstone of Duntreath, Historical Manuscripts Commission, 1909);

— 2. '*The quhilk day the report from the committie above-mentionat for considering wpon the commotione of Ireland … the lettir directed to the kingis majestie from the Lord* **Cheichester**, *daited at Bellfast, 21 of October 1641*' (Records of the Parliaments of Scotland, Parliamentary Register, 'Ordinance anente the Irishe bussines', 17 August, 1641)

Colville = Colvin

— 1. *"Noo! DocTor **Colvin**, we maun hae*' (*circa* 1970 Hist., Robert J. Gregg (ed.), 'A Ballamaena Legend')

Connor = Conther

— 1. '**Conther** = *Connor*' (1995 James Fenton, 'Hamely Tongue')

Coulter = Cowltèrt

— 1. *'Tom Coulter, or "Tammy **Cowltert**," as his name was generally pronounced by those who spoke as broad as their Scotch ancestors did'* (1879 Prose, May Crommelin 'Orange Lily');

— 2. *'**Cowlter** (-tth-) = Coulter'* (1995 James Fenton, 'Hamely Tongue')

Courtney = Coortney

— 1. *'**Coortney** = Courtney'* (1995 James Fenton, 'Hamely Tongue')

Craig = Creg

— 1. *'**Creg**. loc.= Craig'* (1995 James Fenton, 'Hamely Tongue')

Crawford = Craffert

— 1. *'**Craffert**, **Crafford** = Crawford'* (1995 James Fenton, 'Hamely Tongue')

Dalzell = Dalyell, *(hist.)* Daiyell

— 1. *'Dalzell = **Deiyeall**'* (1712-1736 Hist., Funeral Register of First Belfast Presbyterian Church);

— 2. *'Sarah Jane **Dalyell** made a' the claes'* (c.1880 Prose, W. G. Lyttle 'His Tay Perty'),

— 3. *'One individual letter that was common to Older Scots and Middle English in the medieval period was called 'yogh', and was generally written: 3. However, in Early and Middle Scots manuscripts, from the 14th century, the letters* *ȝ and z were indistinguishable as z, for example in zouth and zele ('youth' and 'zeal'). 16th century Scots printers took to printing z for both, because there was no separate ȝ font. By 1600, most Scots writers were using the z form of the letter as equivalent to 'y' in English. This was most frequently at the beginning of words such as ze ('you') and zeir ('year') … A number of surnames retain the traces of 'yogh' letter and sound. **Dalzell**, although not normally pronounced '**Da-yell**' in Ulster today, would often be so pronounced in Scotland.'* (1997 Philip Robinson, 'Ulster-Scots Grammar: Spelling and Pronunciation')

Darragh = Darrach

— 1. '***Darrach*** = *Darragh*' (1995 James Fenton, 'Hamely Tongue')

Davidson = Davyson

— 1. '***Davyson*** = *Davidson*' (1995 James Fenton, 'Hamely Tongue')

Dempsey = Dimpsey

— 1. '***Dimpsey*** = *Dempsey*' (1995 James Fenton, 'Hamely Tongue')

Dennis = Dinnis

— 1. '***Dinnis*** = *Dennis*' (1995 James Fenton, 'Hamely Tongue')

Dennison = Dennysin

— 1. '***Dennyson*** = *Dennison*' (1995 James Fenton, 'Hamely Tongue')

Dobbin = Dabbin

— 1. '***Dabbin*** = *Dobbin*' (1995 James Fenton, 'Hamely Tongue')

Donaldson = Donelson

— 1. '*James **Donelson** in Kilwarkter*' (1654 entry in Mark Sweetnam (ed.) 'Minutes of the Antrim Ministers' Meeting, 1654-8')

Dowds = Doods

— 1. '***Doods*** = *Dowds*' (1995 James Fenton, 'Hamely Tongue')

Drain = Dren

— 1. '***Dren**, loc. = Drain*' (1995 James Fenton, 'Hamely Tongue')

Duffin = Diffy

— 1. '***Diffy*** = *Duffin*' (1995 James Fenton, 'Hamely Tongue')

Duffy = Diffy

— 1. '***Diffy*** = *Duffy*' (1995 James Fenton, 'Hamely Tongue')

Dunlop = Delap

— 1. '***Delap*** = *Dunlop*' (1995 James Fenton, 'Hamely Tongue')

Eaton = Aiton

— 1. '***Aiton*** = *Eaton*' (1995 James Fenton, 'Hamely Tongue')

Edgar, Egar = Edair

Elder = Eldèr

— 1. '*Elder (-dh-)* = *Elder*' (1995 James Fenton, 'Hamely Tongue')

Elliot = Ellit

— 1. '*Ellit* = *Elliot*' (1995 James Fenton, 'Hamely Tongue')

Ellison = Ellysin

— 1. '*Ellyson* = *Ellison*' (1995 James Fenton, 'Hamely Tongue')

English = Inglish

— 1. '*Inglish* = *English*' (1995 James Fenton, 'Hamely Tongue')

Entwhistle = Whussle

— 1. '*what Hughie '**Whustle** (Entwhistle) said aboot his dochters*' (1902 Prose, Archibald McIlroy 'Wedding Bells')

Erskin = Erskyin

— 1. '*Erskyin* = *Erskine*' (1995 James Fenton, 'Hamely Tongue')

Ervine, Irvine = Irrywin

— 1. '*Ervine, etc.* = *Errywin*' (1995 James Fenton, 'Hamely Tongue')

Erwin, Irwin = Irrywin

Esler = Aishler, Estler

Falconer = Fachendèr

— 1. '*Fachender (-dh-) = Falconer*' (1995 James Fenton, 'Hamely Tongue')

Farmer = Fairmer

— 1. '*Fairmer = Farmer*' (1995 James Fenton, 'Hamely Tongue')

Faulkner = Fachendèr

— 1. '*Fachender (-dh-) = Faulkner*' (1995 James Fenton, 'Hamely Tongue')

Fenton = Fainton

— 1. '*Fainton = Fenton*' (1995 James Fenton, 'Hamely Tongue')

Ferguson = Fergysin

— 1. '*luk if ye can lay yer han' on that paper that Tam **Forgyson** left in*' (c.1880 Prose, W. G. Lyttle 'His Tay Perty');
— 2. '*Fergyson = Ferguson*' (1995 James Fenton, 'Hamely Tongue')

Finlay = Finla

— 1. '*Finla = Finlay*' (1995 James Fenton, 'Hamely Tongue')

Flack = Fleck

— 1. '*Fleck* = *Flack*' (1995 James Fenton, 'Hamely Tongue')

Fleming = Fleemin

— 1. '*Fleemin* = *Fleming*' (1995 James Fenton, 'Hamely Tongue')

Forsythe = Forsythe

— 1. '*Forsythe (-aai-)* = *Forsythe*' (1995 James Fenton, 'Hamely Tongue')

Foster = Fostèr

— 1. '*Foster (-tth-)* = *Foster*' (1995 James Fenton, 'Hamely Tongue')

Frew = Threw

— 1. '*Threw* = *Frew*' (1995 James Fenton, 'Hamely Tongue')

Fullerton = Füllerton

— 1. '*Fullerton (Full- r. hull)* = *Fullerton*' (1995 James Fenton, 'Hamely Tongue')

Fulton = Fülton

— 1. '*Fulton (Ful- r. hull)* = *Fulton*' (1995 James Fenton, 'Hamely Tongue')

Galbraith = Galbreth

— 1. '*Galbreth* = *Galbraith*' (1995 James Fenton, 'Hamely Tongue')

Gamble = Gemmle

— 1. '*Gemmle* = *Gamble*' (1995 James Fenton, 'Hamely Tongue')

Gardiner = Gairdner

— 1. '*Gairdner*, *Gairner* = *Gardiner*' (1995 James Fenton, 'Hamely Tongue')

Gault = Gat

— 1. '*Gat* = *Gault*' (1995 James Fenton, 'Hamely Tongue')

Gerrow = Gerra

— 1. '*Gerra (J-)* = *Gerrow*' (1995 James Fenton, 'Hamely Tongue')

Gillen = Geelyin

— 1. '*Geelyin* = *Gillen*' (1995 James Fenton, 'Hamely Tongue')

Gilliland = Gillilann

— 1. '*No lang syne Wullie **Gillilann** wus a laird o young yeirs in Scotlann*' (1996 Prose, John Erskine, 'Wullie Gillilann o Glenquhurrie' in Ullans, Nummer 4)

Gordon = Goardon

— 1. '*Goardon* = *Gordon*' (1995 James Fenton, 'Hamely Tongue')

Gray = Greh

— 1. '*Greh* = *Gray*' (1995 James Fenton, 'Hamely Tongue')

Gunning = Gunyin

— 1. '*she dookit Wully **Gunyin** in the horse hole*' (1880 Prose, W. G. Lyttle 'Peggy, and How I Courted Her');
— 2. '*"An dae ye know whut it is, Mister **Gunyin**," sez he*' (1911 Prose, R. L. Moore ("Wully Gunyun") 'Wully **Gunyun** And The Dug Leeshins' in North Down Herald and County Down Independent, 7 April 1911)

Guthrie = Guttèry

— 1. '*Guttery* (-tth-) = *Guthrie*' (1995 James Fenton, 'Hamely Tongue')

Harbinson = Herbysin

— 1. '*Herbyson* = *Harbinson*' (1995 James Fenton, 'Hamely Tongue')

Harrison = Harrysin

— 1. '*Harryson* = *Harrison*' (1995 James Fenton, 'Hamely Tongue')

Heaney = Hainey

— 1. '*Hainey* = *Heaney*' (1995 James Fenton, 'Hamely Tongue')

Heggarty = Higarty

— 1. '*Higarty* = *Heggarty*' (1995 James Fenton, 'Hamely Tongue')

Henderson = Hennèrsin

— 1. '*Hentherson* = *Henderson*' (1995 James Fenton, 'Hamely Tongue')

Huey = Hooey

— 1. '*Hooey* = *Huey*' (1995 James Fenton, 'Hamely Tongue')

Hutchinson = Hutchysin

— 1. '*Hutchyson* = *Hutchinson*' (1995 James Fenton, 'Hamely Tongue')

Inglis = Inglish

— 1. '*Inglish* = *Inglis*' (1995 James Fenton, 'Hamely Tongue')

Irvine, Irwin = Irrywin

Jackson = Jecksin

— 1. '*Jeckson* = *Jackson*' (1995 James Fenton, 'Hamely Tongue')

Jameson = Jaimysin

— 1. '*Jaimyson* = *Jameson*' (1995 James Fenton, 'Hamely Tongue')

Kearns = Kerains

— 1. '*Kerains* = *Kearns*' (1995 James Fenton, 'Hamely Tongue')

Keating = Kaityin, Kaitin

— 1. '*Kaitin* = *Keating*' (1995 James Fenton, 'Hamely Tongue')

Kilpatrick = McFethrick

— 1. '*McFethrick* = *Kilpatrick*' (1995 James Fenton, 'Hamely Tongue')

King = Keeng

— 1. '*Keeng* = *King*' (1995 James Fenton, 'Hamely Tongue')

Kinney = Kennye

— 1. '*Kennye* = *Kinney*' (1995 James Fenton, 'Hamely Tongue')

Knowles = Knowes

— 1. '*Knowes* *(r. rouse)* = *Knowles*' (1995 James Fenton, 'Hamely Tongue')

Lamont = Lammon

— 1. '*Lammon* = *Lamont*' (1995 James Fenton, 'Hamely Tongue')

Laverty = Levverty

— 1. '*Levverty* = *Laverty*' (1995 James Fenton, 'Hamely Tongue')

Law = Laa

— 1. '*La* = *Law*' (1995 James Fenton, 'Hamely Tongue')

Mathews = Matthis

— 1. '*Matthis* = *Matthews*' (1995 James Fenton, 'Hamely Tongue')

Mawhinney = Mawhunnye

— 1. '*the wae auld Betty* **Mewhunyee***, that Peggy wuz reered wi'*, made her first bowl o' tay' (c.1880 Prose, W. G. Lyttle 'His Tay Perty');

— 2. '*One individual letter that was common to Older Scots and Middle English in the medieval period was called 'yogh', and was generally written: ʒ. However, in Early and Middle Scots manuscripts, from the 14th century, the letters ʒ and z were indistinguishable as z, for example in zouth and zele ('youth' and 'zeal'). 16th century Scots printers took to printing z for both, because there was no separate ʒ font. By 1600, most Scots writers were using the z form of the letter as equivalent to 'y' in English. A number of surnames retain the traces of 'yogh' letter and sound. Dalzell, although not normally pronounced 'Da-yell' in*

Ulster today, would often be so pronounced in Scotland. The Antrim name MacFadzean is of course pronounced [macfadge-yin], and the surnames Bailey and Taylor are pronounced [bail-ye] and [tail-yer] in Ulster-Scots, and The Hamely Tongue gives the spelling bailye for 'bailiff'. The early spellings of these names were Bailze and Tailzer. Occasionally, a name like 'William' was written Wilzame. **Mawhinney** *is pronounced* **[mawhun-ye]** *in Co Down, and McFarlane as [macfarlyane] in parts of County Antrim'* (1997 Philip Robinson, 'Ulster-Scots Grammar: Spelling and Pronunciation');

— 3. *'acause thur wus a Mister* **Mawhunnyae** *fae Bilfaust thaut ma Faither din bits o ingineerin wark fer'* (2001 Prose, John M'Gimpsey Johnston 'Another Ulster-Scots Writer' in Ullans, Nummer 8)

Mawhunney

— 1. '**Mawhunney** = *Mawhinney*' (1995 James Fenton, 'Hamely Tongue')

Maxwell = Mexwell

— 1. '**Mexwell** = *Maxwell*' (1995 James Fenton, 'Hamely Tongue')

McAllister = McAllystèr

— 1. '**McAllyster** *(-tth-)* = *McAllister*' (1995 James Fenton, 'Hamely Tongue')

McAuley = McAly

— 1. '**McAla, McAly** = *McAuley*' (1995 James Fenton, 'Hamely Tongue')

McAvoy = Muckleboy

— 1. "*Muckleboy Brae*' *on the Ballymurphy Road.* '*Muckleboy*' *was the original spelling of the family name used by the present M'Avoys in this locality (including Will M'Avoy, the collector of these names), and is recorded as such in the 1868 Griffith Valuation. As late as 1901, the Census Enumerators Returns for Mid Island were spelling Will's grandfather's family all as* '*M'Ilboys*" (1993 Hist., Will M'Avoy, et al., 'Some Field Names in the Greyabbey District' in 'Ullans', Nummer 1)

McCalmond = McCamont

— 1. '*The näkht he källt* **McCaamont**'*s soo*' (*circa* 1970 Hist., Robert J. Gregg (ed.), 'The Källin o the Soo')

McCarroll = McKerl

— 1. '*McKerl* = *McCarroll*' (1995 James Fenton, 'Hamely Tongue')

McCart = McCairt

— 1. '*McCairt* = *McCart*' (1995 James Fenton, 'Hamely Tongue')

McCartney = McCairtney

— 1. '*McCairtney* = *McCartney*' (1995 James Fenton, 'Hamely Tongue')

McCaw = McCaa

— 1. '*McCa* = *McCaw*' (1995 James Fenton, 'Hamely Tongue')

McClean = McClain

— 1. '*McClain* = *McClean*' (1995 James Fenton, 'Hamely Tongue')

McClellan = McClellan

— 1. '*McClellan* = *McClelland*' (1995 James Fenton, 'Hamely Tongue')

McClure = McClyure

— 1. '*McClyure (loc.)* = *McClure*' (1995 James Fenton, 'Hamely Tongue')

McCorriston = McCoaryston

— 1. '*McCoaryston* = *McCorriston*' (1995 James Fenton, 'Hamely Tongue')

McCracken = McCrakkin

— 1. '*McCrakkin (-ah-)* = *McCracken*' (1995 James Fenton, 'Hamely Tongue')

McCready = McCraidy

— 1. '*McCraidy* = *McCready*' (1995 James Fenton, 'Hamely Tongue')

McDonald = McDonal

— 1. '*McDonal* = *McDonald*' (1995 James Fenton, 'Hamely Tongue')

McDowell = Madole

— 1. *'He wus yin o tha **Madoles***' (1997 Prose, Philip Robinson, 'Esther: Quaen o tha Ulidian Pechts')

M'Dole

— 1. *'**M'Dole** = McDowell*' (1995 James Fenton, 'Hamely Tongue')

McEneaney = McEnainy

— 1. *'**McEnainy** = McEneaney*' (1995 James Fenton, 'Hamely Tongue')

McFadden = McFadyin

— 1. *'**McFadyin** = McFadden*' (1995 James Fenton, 'Hamely Tongue')

McFadzean

— 1. *'One individual letter that was common to Older Scots and Middle English in the medieval period was called 'yogh', and was generally written: ȝ. However, in Early and Middle Scots manuscripts, from the 14th century, the letters ȝ and z were indistinguishable as z, for example in zouth and zele ('youth' and 'zeal'). 16th century Scots printers took to printing z for both, because there was no separate ȝ font. By 1600, most Scots writers were using the z form of the letter as equivalent to 'y' in English. This was most frequently at the beginning of words such as ze ('you') and zeir ('year') … A number of surnames retain the traces of 'yogh' letter and sound. Dalzell, although not normally pronounced 'Da-yell' in Ulster today, would often be so pronounced in Scotland. The Antrim name **MacFadzean** is of course pronounced [**macfadge-yin**], and the surnames*

Bailey and Taylor are pronounced [bail-ye] and [tail-yer] in Ulster-Scots, and The Hamely Tongue gives the spelling bailye for 'bailiff'. The early spellings of these names were Bailze and Tailzer. Occasionally, a name like 'William' was written Wilzame. Mawhinney is pronounced [mawhun-ye] in Co Down, and McFarlane as [macfarlyane] in parts of County Antrim' (1997 Philip Robinson, 'Ulster-Scots Grammar: Spelling and Pronunciation')

McFarland = McFarlyane

— 1. '*McFarlyane* = *McFarlane*' (1995 James Fenton, 'Hamely Tongue');

— 2 . '*One individual letter that was common to Older Scots and Middle English in the medieval period was called 'yogh', and was generally written: ʒ. However, in Early and Middle Scots manuscripts, from the 14th century, the letters ʒ and z were indistinguishable as z, for example in zouth and zele ('youth' and 'zeal'). 16th century Scots printers took to printing z for both, because there was no separate ʒ font. By 1600, most Scots writers were using the z form of the letter as equivalent to 'y' in English. This was most frequently at the beginning of words such as ze ('you') and zeir ('year') … A number of surnames retain the traces of 'yogh' letter and sound. Dalzell, although not normally pronounced 'Da-yell' in Ulster today, would often be so pronounced in Scotland. The Antrim name MacFadzean is of course pronounced [macfadge-yin], and the surnames Bailey and Taylor are pronounced [bail-ye] and [tail-yer] in Ulster-Scots, and The Hamely Tongue gives the spelling bailye for 'bailiff'. The early spellings of these names were Bailze and Tailzer. Occasionally, a name like 'William' was written Wilzame. Mawhinney is pronounced [mawhun-ye]* *in Co Down, and **McFarland** as [**macfarlyane**] in parts of County Antrim' … The consonant 'l' is followed by a 'yogh' sound (and by the letter z) in certain Older Scots words such as tulzie, culzie ('welcome') as well as in place-names such as Culzean, and surnames such as **McFarlzean** and Bailze'* (1997 Philip Robinson, 'Ulster-Scots Grammar: Spelling and Pronunciation')

McFaul = McFal

— 1. '***McFal*** = *McFaul*' (1995 James Fenton, 'Hamely Tongue')

McGalliard = McGallzard

— 1. '*never knew ane other man … except W—— **Mcc gallzard*** ' (1718 entry from 'Ballycarry Session Book')

McGimpsey = Majempsy

— 1. '*Mistress **Majempsy** — poor soul! Ochone!*' (1879 Prose, May Crommelin 'Orange Lily')

McGrath = Magraa, M'Graa

— 1. '***McGra*** = *McGrath*' (1995 James Fenton, 'Hamely Tongue')

McGregor = McGreegor

— 1. '***McGreegor*** = *McGregor*' (1995 James Fenton, 'Hamely Tongue')

McIlvenna = Mucklevayney

— 1. '*It was Rab **Mucklevayney** I wrought tae that leeves in the Whitespots yit*' (1900 Poem, C. K. Pooler 'The Hokin' o' the Prittas')

McIlwaine = Mucklewane

— 1. '*Wully **Mucklewane**, an' twa or three ithers*' (c.1880 Prose, W. G. Lyttle 'His Tay Perty')

McKendry = McKennèry

— 1. '***McKenthery** = McKendry*' (1995 James Fenton, 'Hamely Tongue')

McLaughlin = McLachlin

— 1. '***McLachlin** = McLaughlin*' (1995 James Fenton, 'Hamely Tongue')

McLaverty = McLevverty

— 1. '***McLevverty** = McLaverty*' (1995 James Fenton, 'Hamely Tongue')

McMaster = McMestèr

— 1. '***McMester** (-tth-) = McMaster*' (1995 James Fenton, 'Hamely Tongue')

McMichael = McMichel

— 1. '***McMichel** (-ch-) = McMichael*' (1995 James Fenton, 'Hamely Tongue')

McNaughton = McNatton

— 1. '*McNatton* = *McNaughton*' (1995 James Fenton, 'Hamely Tongue')

McQuillan = McQueelan

— 1. '*McQueelan* = *McQuillan*' (1995 James Fenton, 'Hamely Tongue')

McQuiston = McQueestie

— 1. '*McQueestie* = *McQuiston*' (1995 James Fenton, 'Hamely Tongue')

McQuitty = McQuuty

— 1. '*McQuuty* = *McQuitty*' (1995 James Fenton, 'Hamely Tongue')

McSheffrey = McSheefrey

— 1. '*McSheefrey* = *McSheffrey*' (1995 James Fenton, 'Hamely Tongue')

McWilliams = M'Culliam

— 1. '*McWulliams*, *McCulliam* = *McWilliams*' (1995 James Fenton, 'Hamely Tongue')

Megarrell = Megairl

— 1. '*Megairl* = *Megarrell*' (1995 James Fenton, 'Hamely Tongue')

Megarry = Megairy

— 1. '*Megairy* = *Megarry*' (1995 James Fenton, 'Hamely Tongue')

Megaw = Megaa

— 1. '*Mega (-ga')* = *Megaw*' (1995 James Fenton, 'Hamely Tongue')

Menary = Menyarry

— 1. '*Jamey **Menyarry** an' a wheen o' the boys made sayries fun o' me*' (c.1880 Prose, W. G. Lyttle 'His Christmas Day')

Montgomery = Gummery, M'Gummrie, Megomerie

— 1. '*Megomery* = *Montgomery*' (1995 James Fenton, 'Hamely Tongue');

— 2. '*Where 'y' is found at the end of a word in English spelling, this was historically (and is) avoided in Ulster-Scots in favour of –ie. So, aunty becomes auntie, Willy becomes Willie or Wullie, and granny becomes grannie. Of course, Scots words with no English equivalents such as dominie (teacher) also follow this pattern. Surnames such as **Montgomery** were usually spelt **Montgomerie** or **Montgommrie** and this feature is characteristic of both Older Scots and modern usage*' (1997 Philip Robinson, 'Ulster-Scots Grammar: Spelling and Pronunciation')

Mooney = Moaney

— 1. '*Moaney* = *Mooney*' (1995 James Fenton, 'Hamely Tongue')

Morrison = Moaryshin

— 1. *'Mister **Moreyshon**, that preeches in Bellygrainey'* (1880 Prose, W. G. Lyttle 'Robin on the Ice');

— 2. *'A went tae skill in Greba, Jeannie **Morishon** wus our teacher then'* (1994 Poem, Willis Hughes, 'An Ode tae Greba Toon' in 'Ullans', Nummer 2);

— 3. *'**Moaryson** = Morrison'* (1995 James Fenton, 'Hamely Tongue')

Morrow = Morra

— 1. *'**Morra** = Morrow'* (1995 James Fenton, 'Hamely Tongue')

Norwood = Norrit

— 1. *'Did ye hear that Tovey **Nor'itt** has got awa"* (1902 Prose, Archibald McIlroy 'The Death of Tovey Nor'itt');

O'Neill = O'Naill

— 1. *'**O'Naill** = O'Neill'* (1995 James Fenton, 'Hamely Tongue')

O'Rawe = O'Raa

— 1. *'**O'Ra** = O'Rawe'* (1995 James Fenton, 'Hamely Tongue')

Osborne = Oseborne

— 1. *'**Oseborne** = Osborne'* (1995 James Fenton, 'Hamely Tongue')

Owens = Oyens

— 1. '*Oyens* = *Owens*' (1995 James Fenton, 'Hamely Tongue')

Patterson = Pettèrsin

— 1. '*Petterson (-tth-)* = *Patterson*' (1995 James Fenton, 'Hamely Tongue')

Patton = Patoun

— 1. '*in the keeping of Thomas **Patoun**'* (1618 Letter from William Buchanan, Newton to Elizabeth Shaw, first wife of Sir Hugh Montgomerie of Airds)

Paulin = Palyin

— 1. '*A wus chakkin Tam **Palyin** (as iz yins wud ca him) for gan wrang wae burd names*' (1996 Prose, James Fenton, 'An Ulster-Scots letter' in Ullans, Nummer 4)

Peacock = Paycock

— 1. '*Paycock* = *Peacock*' (1995 James Fenton, 'Hamely Tongue')

Peden = Paiden

— 1. '*Paiden* = *Peden*' (1995 James Fenton, 'Hamely Tongue')

Pollock = Poag, Poak

— 1. '*Poke* = *Pollock*' (1995 James Fenton, 'Hamely Tongue')

Porter = Portèr

— 1. '***Porter** (-tth-) = Porter*' (1995 James Fenton, 'Hamely Tongue')

Quentin = Quaintin

— 1. '***Quaintin** = Quentin*' (1995 James Fenton, 'Hamely Tongue')

Quinn = Queen

— 1. '***Queen** = Quinn*' (1995 James Fenton, 'Hamely Tongue')

Reid = Rid

— 1. '***Rid** = Reid*' (1995 James Fenton, 'Hamely Tongue')

Reynolds = Rannals

— 1. '*Mae name is Charlie **Rannals** (Reynolds) an A wus boarn weel owre fifty year ago*' (2001 Charlie Reynolds, 'Thae Tuk Mae Ain Tunge' in Ullans, Nummer 8)

Richmond = Richmon

— 1. '***Richmon** = Richmond*' (1995 James Fenton, 'Hamely Tongue')

Robinson = Roabysin

— 1. '*afore ye cud say Jack **Robyson**'* (c.1880 Prose, W. G. Lyttle 'His Tay Perty');

— 2. '***Roabyson** = Robinson*' (1995 James Fenton, 'Hamely Tongue');

— 3. *'Weel, ye sa whut Philip **Roabysin** wuz allooin'* (1996 Prose, James Fenton, 'An Ulster-Scots letter' in Ullans, Nummer 4)

Rodgers = Rorysin

— 1. *'**Roryson** = Rodgers'* (1995 James Fenton, 'Hamely Tongue')

Sayers = Sires

— 1. *'**Sires** (-aai-) = Sayers'* (1995 James Fenton, 'Hamely Tongue')

Shaw = Shaa

— 1. *'**Sha** = Shaw'* (1995 James Fenton, 'Hamely Tongue'); *(hist.)* Schaw — 1. *'s, sh and sch in Ulster-Scots ... English words with an 's' spelling are frequently spelt with 'sh' in Ulster-Scots if they are modified to this sound in Ulster-Scots. For example, 'sew' can be written shoo in Ulster-Scots, although the surname '**Shaw**' is sometimes written in a revived form as **Schaw**, reflecting its 17th century spelling, and 'sugar' as shüggar to reflect the vowel sound change: sew – shoo, suit – shuit (of clothes), harness – harnish, breast – breesht, least – leasht, nervous – nervish, feast – feasht, priest – preesht, soon - shane'* (1997 Philip Robinson, 'Ulster-Scots Grammar: Spelling and Pronunciation')

Skelton = Skilton

— 1. *'**Skilton** = Skelton'* (1995 James Fenton, 'Hamely Tongue')

Spalding = Spahlin

— 1. '*Spahlin* = *Spalding*' (1995 James Fenton, 'Hamely Tongue')

Sterling = Stirlin

— 1. '*Stirlin (-tth-)* = *Sterling*' (1995 James Fenton, 'Hamely Tongue')

Stevenson = Steenson

— 1. '*The folk here give me **Steenson**, for shortness, but Stevenson was the right name,' said the poor soul*' (1880 Prose, May Crommelin 'Black Abbey')

Steveysin

— 1. '*Steveyson* = *Stevenson*' (1995 James Fenton, 'Hamely Tongue')

Stinson = Steensin

— 1. '*Steenson* = *Stinson*' (1995 James Fenton, 'Hamely Tongue')

Taylor = Tailyor

— 1. '*Taylor* = **Telear, Tealear**' (1712-1736 Hist., Funeral Register of First Belfast Presbyterian Church);

— 2. '*Taylyor* = *Taylor*' (1995 James Fenton, 'Hamely Tongue');

(hist.) Taylzor

— 1. '*One individual letter that was common to Older Scots and Middle English in the medieval period was called 'yogh', and was generally written: 3. However, in Early and*

*Middle Scots manuscripts, from the 14th century, the letters ʒ and z were indistinguishable as z, for example in zouth and zele ('youth' and 'zeal'). 16th century Scots printers took to printing z for both, because there was no separate ʒ font. By 1600, most Scots writers were using the z form of the letter as equivalent to 'y' in English. This was most frequently at the beginning of words such as ze ('you') and zeir ('year') ... A number of surnames retain the traces of 'yogh' letter and sound. Dalzell, although not normally pronounced 'Da-yell' in Ulster today, would often be so pronounced in Scotland. The Antrim name MacFadzean is of course pronounced [macfadge-yin], and the surnames Bailey and **Taylor** are pronounced [bail-ye] and [**tail-yer**] in Ulster-Scots, and The Hamely Tongue gives the spelling bailye for 'bailiff'. The early spellings of these names were Bailze and **Tailzer**.'* (1997 Philip Robinson, 'Ulster-Scots Grammar: Spelling and Pronunciation')

Thompson = Tamsin

— 1. '*Than rura'* **Tamson** *devil a better'* (1844 Poem, Robert Huddleston 'Elegy to Thompson, Rural Bard, Carngranny');

— 2. '*in Sam* **Tamson**'s *shap wundey for three simmers rinnin'*' (c.1880 Prose, W. G. Lyttle 'His Tay Perty');

— 3. '*What are ye standin' clavering there for, Tammy* **Thampson?**' (1907 Prose, 'Andrew James' (James Andrew Strahan), 'Nabob Castle. A Legend of Ulster' in Blackwoods Edinburgh Magazine, Feb. 1907);

— 4. '**Thampson** = *Thompson*' (1995 James Fenton, 'Hamely Tongue');

— 5. '*Oul Sam* **Tamson** *wus a pig butcher in my hame village o*

Bellynure' (1996 Prose, Ernest McA Scott, 'The Minister's Speech' in Ullans, Nummer 4);

— 6. *'Noo, I met aul' John **Tamson**, wha leeves ower tha hill'* (2001 Poem, Charlie Reynolds, 'Tha Nicht tha Wurl wus Fu" in Ullans, Nummer 8)

Turner = Türner

— 1. *'**Turner** (Tth-) = Turner'* (1995 James Fenton, 'Hamely Tongue')

Walker = Wakker

— 1. *'**Wakker** = Walker'* (1995 James Fenton, 'Hamely Tongue')

Waterson = Wattèrsin

— 1. *'**Watterson** (-tth-) = Waterson'* (1995 James Fenton, 'Hamely Tongue')

Watters = Wattèrs

— 1. *'**Watters** (-tth-) = Watters'* (1995 James Fenton, 'Hamely Tongue')

Webster = Wabstèr

— 1. *'**Wabster** (-tth-) = Webster'* (1995 James Fenton, 'Hamely Tongue')

Wilkinson = M'Queelkin, Wulkysin

— 1. *'**Wulkyson**, **McQueelkin** = Wilkinson'* (1995 James Fenton, 'Hamely Tongue')

Williamson = Wulliamsin

— 1. '***Wulliamson*** = *Williamson*' (1995 James Fenton, 'Hamely Tongue')

Wills = Wulls

— 1. '***Wulls*** = *Wills*' (1995 James Fenton, 'Hamely Tongue')

Wilson = Wulsin

— 1. '***Wulson*** = *Wilson*' (1995 James Fenton, 'Hamely Tongue')

Wishart = Wushart

— 1. '***Wushart*** = *Wishart*' (1995 James Fenton, 'Hamely Tongue')

Woods = Wuds

— 1. '***Wuds*** = *Woods*' (1995 James Fenton, 'Hamely Tongue')

Woodside = Wudside

— 1. '***Wudside*** = *Woodside*' (1995 James Fenton, 'Hamely Tongue')

Wreath = Wreth

— 1. '***Wreth*** = *Wreath*' (1995 James Fenton, 'Hamely Tongue')

ULSTER-SCOTS FORMS OF FIRST NAMES

This list is intended to provide the Ulster-Scots language forms of many common first names in the traditional Ulster-Scots speaking areas, but only where there is an attested form that is different from the 'official' registered or baptismal one.

Where appropriate, historical examples of selected individual Ulster-Scots forms are provided from the comprehensive *English to Ulster-Scots Historical Dictionary* database compiled by the Ulster-Scots Academy and the Ulster-Scots Language Society.

Abraham = Aibram *(dim.)* Aibbie

Adam = Eddam *(dim.)* Eadie

— 1. '*Some folk they think auld **Edim** fish'd*' (1902 Poem, Adam Lynn, 'Anglin");

— 2. '*Tho' some blame auld **Eddim** fur it / In the gerdin lang ago*' (1903 Poem, Adam Lynn, 'Football');

— 3. '*My dear auld lass, or **Eddim's** dear*' (1915 Poem, Agnes Kerr, 'Tae Eddim's Auld Lass');

— 4. '***Eddam** = Adam*' (1995 James Fenton, 'Hamely Tongue')

Agnes = Egnes *(dim.)* Eggie, Nannie

— 1. '***Egnes** = Agnes*' (1995 James Fenton, 'Hamely Tongue')

Eggie

— 1. '*Eggie* = *Aggie*' (1995 James Fenton, 'Hamely Tongue')

Alan = Allan

Albert = Aabert

— 1. '*The bodie wadna' own / Prince **A'bert** for a brither!*' (1849 Poem, Samuel Turner, 'Song. The Portrait')

Alexander = Sawney (Sandy)

— 1. '*Of **Sawney**, who lay hid hard by*' (1828 Poem, Sarah Leech 'Address to Lettergull');

— 2. '***Sawney** = Alexander*' (1828 Hist., Sarah Leech 'Glossary')

Allister = Allystèr

— 1. '***Allyster** (-tth-) = Allister*' (1995 James Fenton, 'Hamely Tongue')

Andrew = Andra

— 1. '*Let **Andras**, Johns, and Wullys meet*' (1900 Poem, Thomas Given, 'Sparks frae the Rural Council');

— 2. '*Things might be redd up a wee-thing, **Andra**'* (1951 Prose, Sam Hanna Bell 'December Bride');

— 3. '*Andrew = **Andra**, **Anthe²ra** or **Andthe²ra**. [²The ending "er" was usually pronounced as "ther" in such words as there, other &c]*' (1973 Hist., Ards and North Down 'Glossary');

— 4. '***Andra** = Andrew*' (1995 James Fenton, 'Hamely Tongue')

Archibald = Airchybal

— 1. '*Airchybal* = *Archibald*' (1995 James Fenton, 'Hamely Tongue')

Archie = Airchie

— 1. '*Sandy fiddled, an' Erchy sang*' (1904 Poem, Adam Lynn, 'The Lint Pullin'');

— 2. '*Airchie* = *Archie*' (1995 James Fenton, 'Hamely Tongue')

Arnold = Arnol

— 1. '*Arnol* = *Arnold*' (1995 James Fenton, 'Hamely Tongue')

Arthur = Artur, Artie

— 1. '*Artur (-tth-)* = *Arthur*' (1995 James Fenton, 'Hamely Tongue')

Bob = Bab

— 1. '*Why, man alive, Bab, are you leevin'?*' (1900 Poem, Thomas Given, 'Poetic Epistle tae Bab M'Keen, III');

— 2. '*Bab* = *Bob*' (1995 James Fenton, 'Hamely Tongue')

Charles = Cherles

— 1. '*Cherles* = *Charles*' (1995 James Fenton, 'Hamely Tongue');

Charlie = Chairlie

— 1. '*Cherlie* = *Charlie*' (1995 James Fenton, 'Hamely Tongue')

Daniel = Dainiel

— 1. *'**Dainiel** = Daniel'* (1995 James Fenton, 'Hamely Tongue')

Dan'l

— 1. *'**Dan'l** Gilhorn'* (1879 Prose, May Crommelin 'Orange Lily')

David = Dauvit, Davit

— 1. *'This boye wus caad **Davit** Hugh Kor'* (2001 Prose, John M'Gimpsey Johnston, 'Ma Granda aun Dauvit Hugh's Deuks' in Ullans, Nummer 8)

Davie

— 1. *'They say King **Davey** blew the fife'* (1900 Poem, Thomas Given, 'The Instrumental Music Question')

Doit

— 1. *'what young **Doit** [David] Baxter said tae the minister when he went for the leeshins [licence]'* (1902 Prose, Archibald McIlroy 'Wedding Bells')

— 2. *'**Doyt**, loc.= Davy'* (1995 James Fenton, 'Hamely Tongue')

Elizabeth = Elspeth, Elspa

— 1. *'How Jock an' **Elspa** liv't in strife'* 1811 Poem, Francis Boyle 'The Wife o' Clinkin Town')

Ephriam = Ephie

— 1. *'**Ephie's** base bairntime, trail-pike brood'* (1804 Poem, James Orr, 'Donegore Hill')

Gavin = Gawn

— 1. *'to haiff resaiffit fra the said **Gawan** Kelso'* (1617 Indenture from Robert McClelland of north Londonderry);

— 2. *'Ulster-Scots poets used words like lo'ed for 'loved', and co'erd for 'covered'. In Older Scots, the letters 'w', 'v' and 'u' were used interchangeably. In Ulster during the 1600s, 'w' was often substituted for 'v' in words such as adwise, craew ('crave'), Dawid, **Gawan** ('Gavin'), lewie ('levy'), wozd ('void') and elewint ('eleventh') ... In modern Ulster-Scots, the substitution of 'w' for 'v' still reflects a contrast of pronunciation with English, but the spelling usually involves dropping the 'v': over = ower, give = gie, given = gien, have = hae, dove = doo, love = lo'e, swivel = sweel, devil = deil, leave = lea, silver = siller'* (1997 Philip Robinson, 'Ulster-Scots Grammar: Spelling and Pronunciation')

Gan

— 1. *'**Gan** = Gawn'* (1995 James Fenton, 'Hamely Tongue')

Harry = Herrie

— 1. *'**Herry**, an' George, an' Tammie'* (1902 Poem, Adam Lynn, 'Christmas')

Henry = Hennèry

— 1. *'Hans and **Henery**-Thomas are always bumming round the house'* (1879 Prose, May Crommelin 'Orange Lily');

— 2. *'**Henthery** = Henry'* (1995 James Fenton, 'Hamely Tongue')

Hugh = Shuey

— 1. *'**Shuey**, send the wean fur a rope'* (1943 Prose, Sam Hanna Bell 'The Broken Tree');

— 2. *'Ye know **Shuey** Carspindle'* (1951 Prose, Sam Hanna Bell 'December Bride')

James = Jemmy

— 1. *'Is't **Jemmie** or Hughie ye'll hae for your marrow' ... 'Blythe Jean maun 'fore Hughey ca' **Jemmy** her joy'* (1844 Poem, Robert Huddleston 'Sweet Bloomin' Lassie o' Lovely Drumarrah');

— 2. *'An' **Jemmy**'s gaun tae follow'* (1900 Poem, Thomas Given, 'The Board of Guardians and the Local Press')

Jamie

— 1. *'aboot **Jamie** M'Leester's coortship'* (1878 Newsp., John Weir (Bab M'Keen), Ballymena Observer: 'Bab M'Keen on Coortin'');

— 2. *'**Jamie** wus waitin' ahint the green slaes'* (1900 Poem, Thomas Given, 'Paukie Wee Nannie');

— 3. *'Am terribly sorry tae hae record the deth o' **Jamie** Broon, oor ain station-mester'* (1906 Newsp., John McFall (An Aul Han), Northern Constitution: 'Bushside Letter (I)')

Jenny = Jinney

— 1. *'As lang as there wur troots tae catch / In **Jinney** Wiley's burn'* (1891 Poem, Adam Lynn, 'Cullybackey')

John = Jhone, Jone

— 1. *'and Mr **Jhon** be tyme sall leiv without being troublsum to his freinds'* (c. 1630 Letter from Isobell Haldane of Ballycarry);

— 2. *'But **Jone** tae sconce the calter'* (1844 Poem, Robert Huddleston 'The Lammas Fair');

— 3. *'a had been talkin' tae **Joan** Macrackin yin nicht in Wullv Magrath's barbers shop about the "buttin Folks" as he ca'd them'* (1910 Prose, R. L. Moore ("Wully Gunyun") 'Wully Gunyun an' the "Buttin' Folk"' in North Down Herald and County Down Independent, 8 April 1910);

— 4. *'Did ye git aw thon rain yästeday, **Jone**?'* (*circa* 1970 Hist., Robert J. Gregg (ed.), 'Thrawen Oul Jone an' his Nebby Nybour')

Jonnie

— 1. *'So Jock we've danced the waddin' reel ... And fare-ye-well my kin'ly **Jonnie**'* (1844 Poem, Robert Huddleston 'Epistle to Mr J Macoubrey');

— 2. *'Ma Graunfaither **Jonny** M'Gimpsey, haud twa sins'* (2001 Prose, John M'Gimpsey Johnston, 'Ma Granda aun Dauvit Hugh's Deuks' in Ullans, Nummer 8)

Jock

— 1. *'So **Jock** we've danced the waddin' reel ... And fare-ye-well my kin'ly Jonnie'* (1844 Poem, Robert Huddleston 'Epistle to Mr J Macoubrey')

Liz = Leezie

— 1. *'**Leezy**, **Leezy**, my wife; oor twa bairns hae thriven'* (1824 Prose, James McHenry 'The Insurgent Chief; or The Pikemen of '98');

— 2. '*I'll gie ye the reason — I ne'er gae wrang while I follow Leezy's advice*' (1841 Prose, William McComb, 'Letter I. To Mr John Hill, Belfast, 1st February, 1841', in: The Repealer Repulsed, Belfast, 1841);

— 3. '*Wanters o' men come ilk day Leezie seekin''* (1846 Poem, Samuel Turner, 'Leezy M'Minn');

— 4. '*Heav'n says she's bonny Leezy, O*' (c.1860 Poem, Robert Huddleston 'A Country Lass my Love sae Bra')

Luke = Lyuke

— 1. '*Lyuke = Luke*' (1995 James Fenton, 'Hamely Tongue')

Margaret = Marget

— 1. '*the advyce of the Presbyterie anent James St—— & Marget Du——*' (1705 entry in 'Ballycarry Session Book');

— 2. '*a wusna lang in till Joan towl Marget to wat the tay*' (1924 Hist., 'Logwood (III)', 'Northern Whig: Ulster Words and Phrases')

Martin = Mairtin

— 1. '*Mairtin = Martin*' (1995 James Fenton, 'Hamely Tongue')

Michael = Michel

— 1. '*Then rose up Mikkel Hayes with sudden zeal*' (1901 Poem, George Savage Armstrong 'The Spectre of Knockdoo');

— 2. '*Michel (-ch-) = Michael*' (1995 James Fenton, 'Hamely Tongue')

Molly = Mally

— 1. *'O leeze me on my **Mally**'* (1844 Poem, Robert Huddleston 'The Lassie o' the Firm')

Nathaniel = Thannie

— 1. *'Dear **Thaunie**! musick's gentle sinn'* (1804 Poem, James Orr, 'Epistle to N—— P——, Oldmill')

Neil = Nail

— 1. *'**Naill** = Neil'* (1995 James Fenton, 'Hamely Tongue')

Paddy = Paitie

— 1. *'a bit o' plug for **Petie**'* (1951 Prose, Sam Hanna Bell 'December Bride')

Patrick = Petherick

— 1. *'**Petrick**, **Petherick** = Patrick'* (1995 James Fenton, 'Hamely Tongue'); *(Paddy)* Paitie

Peter = Petèr

— 1. *'**Peter** (-tth-) = Peter'* (1995 James Fenton, 'Hamely Tongue')

Philip = Phaap

Rob = Rab

— 1. *'Just plain r'ugh **Rab**'* (1844 Poem, Robert Huddleston 'Postscript' to "On Salts"');

— 2. *'**Rab** = Rob'* (1995 James Fenton, 'Hamely Tongue')

Robin = Rabin

— 1. *'An' for the physic ye sent **Rabin**'* (1844 Poem, Robert Huddleston 'Postscript' to "On Salts'")

Sandy = Sawney

— 1. *'Ligs Revd. **Sawney** Sinkler's Benes'* (1733 Poem, Anon., *'An elegy on Sawney Sinkler'*);

— 2. *'Davie an' **Sawney** met thegither'* (1799 Poem, Samuel Thomson 'Davie and Sawney, An Ale-House Ecologue');

— 3. *'A saw **Sauny** blawin' his nose'* (c.1880 Prose, W. G. Lyttle 'His Trip tae Glesco')

Susan = Shuzzan, Shuzie

— 1. *'So you are **Shusy** — are you'* (1879 Prose, May Crommelin 'Orange Lily');

— 2. *'**Shuzzan** = Susan'* (1995 James Fenton, 'Hamely Tongue')

Susanna *noun: (personal name)* Shuzzana

— 1. *'**Shusana** Bl— as also befor the Cong.'* (1749 entry from 'Ballycarry Session Book')

Thomas = Tammas

— 1. *'you would care for no partner after Mr. **Tammas** Cowltert'* (1879 Prose, May Crommelin 'Orange Lily');

— 2. *'Mister Wulyim Mayne, an' his son **Tammas**'* (1880 Prose, W. G. Lyttle 'Robin on the Ice');

— 3. *'He had also a letter frae **Tammas**, my brither'* (1900 Poem, Thomas Given, 'Poetic Epistle tae Bab M'Keen, IV');

— 4. *'I'm no' goin', **Tammas'*** (1943 Prose, Sam Hanna Bell 'This We Shall Maintain')

Tom = Tam

— 1. *'**Tam** = Tom'* (1813 Hist., Hugh Porter 'Glossary');

— 2. *'You **Tam** aroun' the clachan hover'* (1846 Poem, Samuel Turner, 'Tailor Jock');

— 3. *'Wi' a' his trubble **Tam** was jest as heart wickit as iver'* (1878 Newsp., John Weir (Bab M'Keen), Ballymena Observer: 'Bab M'Keen on Moral Reform');

— 4. *'luk if ye can lay yer han' on that paper that **Tam** Forgyson left in'* (c.1880 Prose, W. G. Lyttle 'His Tay Perty');

— 5. *'Nae siller cups hid in this, **Tam'*** (1943 Prose, Sam Hanna Bell 'This We Shall Maintain');

— 6. *'**Tam**'s been awa for years an years in Americay'* (1991 Prose, John A Oliver 'Girl, Name Forgotten');

— 7. *'**Tam** wuz fun / Bae a weetchil eftther / Stricklies'* (1998 Poem, James Fenton, 'Mag an Tam' in Ullans, Nummer 6)

Tammy

— 1. *'Tom Coulter, or "**Tammy** Cowltert," as his name was generally pronounced by those who spoke as broad as their Scotch ancestors did'* (1879 Prose, May Crommelin 'Orange Lily');

— 2. *'What are ye standin' clavering there for, **Tammy** Thampson?'* (1907 Prose, 'Andrew James' (James Andrew Strahan), 'Nabob Castle. A Legend of Ulster' in Blackwoods Edinburgh Magazine, Feb. 1907)

Tommy = Tammie

— 1. *'Herry, an' George, an'* ***Tammie'*** (1902 Poem, Adam Lynn, 'Christmas')

Violet = Vilet

— 1. *'Rose an'* ***Vilet****, frae the city'* (1904 Poem, Adam Lynn, 'The Lint Pullin'')

William = Wulyim

— 1. *'****Wulyim*** *M'Kome riz tae his feet'* (c.1880 Prose, W. G. Lyttle 'M'Quillan Abroad');

— 2. *'Mister Murdoch lukit up, an' sez he, "that's a fine day,* ***Wullyum'*** (1910 Prose, R. L. Moore ("Wully Gunyun") 'Wully Gunyun an' the "Buttin' Folk"' in North Down Herald and County Down Independent, 8 April 1910)

Wull

— 1. *'****Wull****, will ye larn me the Lancers'* (2004 Poem, Charlie Gillen, 'Greetins frae tha Wizard' in Ullans, Nummers 9 & 10)

Wullie

— 1. *'But cou'd auld* ***Wullie*** *get a lick'* (1811 Poem, Francis Boyle 'Lines on seeing the Butterhorn');

— 2. *'my ma said that* ***Wully*** *Kirk sent a shillin' fur me'* (c.1880 Prose, W. G. Lyttle 'His Trip tae Glesco');

— 3. *'Let Andras, Johns, and* ***Wullys*** *meet'* (1900 Poem, Thomas Given, 'Sparks frae the Rural Council');

— 4. *'So* ***Wully*** *axed me ower yin eve'* (1900 Poem, Adam Lynn, 'Halloweve');

— 5. *'Puir **Wully** is deed!'* (1901 Poem, George Savage Armstrong 'Death and Life');

— 6. *'Noo **Wully** was nae great shakes at this new Environment stuff'* (1995 Prose, Ernest McA Scott, 'The Oul Wye' in Ullans, Nummer 3);

— 7. *'Where 'y' is found at the end of a word in English spelling, this was historically (and is) avoided in Ulster-Scots in favour of –ie. So, aunty becomes auntie, **Willy** becomes **Willie** or **Wullie**, and granny becomes grannie ... English 'i'* → *Ulster-Scots ï or u ... The short 'i' after 'w' or 'wh' is spelt with a 'u' (e.g. 'witch' → wutch), as follows: Willy = **Wullie**, wind = wun, whin (gorse) = whun, which = whutch, switch = swutch, whistle = whussle'* (1997 Philip Robinson, 'Ulster-Scots Grammar: Spelling and Pronunciation')

(*hist.*) Wilzame

— 1. *'ane **Wilzame** Boyd, sone to Dawid Boyd in the Airdis'* (1627 Letter from John Hamilton of County Down)

GENERIC ULSTER-SCOTS NAMES FOR INDIVIDUALS AND GROUPS

anyone = oniebodie

— 1. *'send it we **ony Body** comin till ony of these Parts'* (1767 Prose, James Murray, 'Letter to Rev. Baptist Boyd');

— 2. *'**Onybody** cud a tell't it by the maister's face'* (1902 Prose, Archibald McIlroy 'The Night of the Churn');

— 3. *'we didna say yin ill word aboot **onybody**'* (1924 Hist., 'Logwood (III)', 'Northern Whig: Ulster Words and Phrases');

— 4. *'**oanyboady** = anybody (freq. meaning an averagely decent, reasonable or esp. principled person: If he wuz **oanyboady** at al, he wud tell them whar tae put their job)'* (1995 James Fenton, 'Hamely Tongue');

— 5. *'anyone = **oaniebodie**'* (1997 Philip Robinson, 'Ulster-Scots Grammar: Nouns and Numbers')

all of you = yis aa, yin an aa

baby = babbie

— 1. *'An' rocks asleep her **babby**'* (1793 Poem, Samuel Thomson 'The Country Dance');

— 2. *'Wee **baby-ba**, the womb whan 'scapes'* (1844 Poem, Robert Huddleston 'On Salts');

— 3. '*Wi'* ***babbie*** *on her luncheugh stuck'* (1846 Poem, Samuel Turner, 'Song. The Toddy Caup');

— 4. '*twa nice wee* ***babbys*** '(c.1880 Prose, W. G. Lyttle 'His Twins');

— 5. '***babby*** = *baby*' (1995 James Fenton, 'Hamely Tongue');

— 6. '*baby* = *ba,* ***babbie****, bairn*' (1997 Philip Robinson, 'Ulster-Scots Grammar: Pronouns and People')

ba

— 1. '***ba*** = *(common affectionate term for) a baby (esp. wee* ***ba****)* (1995 James Fenton, 'Hamely Tongue');

— 2. '*baby* = ***ba****, babbie, bairn*' (1997 Philip Robinson, 'Ulster-Scots Grammar: Pronouns and People')

bairn

— 1. '*and wish to ge heme and see the Wife and* ***Barens***' (1733 Prose, 'J.S., *The North Country-Man's Description of Christ's Church, Dublin*);

— 2. '*Now Gude be wi' ye, Brice, my* ***bairn*** *- / - An' Gude be wi' ye, Auntie*' (1804 Poem, James Orr, 'The Passengers');

— 3. '*The* ***bairn*** *alive and blithe the minny*' (1811 Poem, Francis Boyle 'The Preacher turned Doctor');

— 4. '*An' what tho' we never were blest wi a* ***bairn***' (1819 Poem, Thomas Beggs 'The Auld Wife's Address to her Spinning Wheel');

— 5. '*Then the* ***bairn*** *gave a wee moan*' (1879 Prose, May Crommelin 'Orange Lily');

— 6. '*baby* = *ba, babbie,* ***bairn***' (1997 Philip Robinson, 'Ulster-Scots Grammar: Pronouns and People') bairnie

— 1. *'As elves, they say, the thriving **bairny** nick'* (1753 Poem, William Starrat, 'Elegy on the death of Jonathan Swift');

— 2. *'While a' abashed our **bairnies** greet'* (1846 Poem, Samuel Turner, 'Song. The Toddy Caup')

wean

— 1. *'Their feckless weifs a **wean** nae bred'* (1844 Poem, Robert Huddleston 'Doddery Willowaim');

— 2. *'Wi' nane to nurse or rock the **wean**'* (1873 Poem, David Herbison, 'The Wife's Welcome')

— 3. *'**wean** (pronounced "**wane**") = young child'* (1942 Hist., North Down 'Glossary');

— 4. *'**wain** = a baby; a child'* (1995 James Fenton, 'Hamely Tongue')

boy = lad

— 1. *'**Lads**, reply'd the Master'* (1733 Prose, 'J.S', The North Country-Man's Description of Christ's Church, Dublin);

— 2. *'Three Sisters to come here … there are **Leds** enough here'* (1767 Prose, James Murray, 'Letter to Rev. Baptist Boyd');

— 3. *'Whar **lads** an' lasses ay repair'* (1793 Poem, Samuel Thomson 'The Simmer Fair');

— 4. *'A weaver **lad**!—there's ne'er a wabster o' the Langslap Moss wi' siccan a leg as that!'* (1832 Prose, Samuel Ferguson 'The Wet Wooing');

— 5. *'And heard the **lads** and lasses there'* (1875 Poem, James McKeown, 'Lines Inscribed to Mr. D. Herbison');

— 6. *'An yän young **laad** he ett a haern'* (*circa* 1970 Hist., Robert J. Gregg (ed.), 'Haaleve');

— 7. '*boy* = **lad**, *weefla, loon, weetchil*' (1997 Philip Robinson, 'Ulster-Scots Grammar: Pronouns and People')

weefla, wee fella

— 1. '*did ye bring the* **wee fella***!*' (1951 Prose, Sam Hanna Bell 'December Bride');

— 2. '*Yin* **wee fella** *run intil an oul crabbit mon quha cursit him*' (1995 Prose, Thomas Finegan, 'Gie Us The Day' in Ullans, Nummer 3);

— 3. '**weefla** = *a boy*' (1995 James Fenton, 'Hamely Tongue');

— 4. '*a gral o a* **weefla** *lake me kilt wheelin tae him*' (1997 Prose, James Fenton, 'The Flow' in Ullans, Nummer 5);

— 5. '*boy* = lad, **weefla**, *loon, weetchil*' (1997 Philip Robinson, 'Ulster-Scots Grammar: Pronouns and People')

— 6. '*lea th*' **weefla** *alane*' (1997 Charlie Reynolds, 'Ma Childhood Hame' in Ullans, Nummer 5);

— 7. '*Sae historie taks nae tent theday, / O a* **weefella**'s *spring*' (1999 Poem, Philip Robinson 'Alba and Albania' in Ullans, Nummer 7)

weetchil

— 1. '**wee-chiel** = *a little boy*' (1824 Hist., George Dugall 'Northern Cottage Glossary');

— 2. '*Hisel an the* **weechil** *that's quat the scholarin*' (1995 Prose, Ernest McA Scott, 'The Oul Wye' in Ullans, Nummer 3);

— 3. '**weetchil** = *a youngster; a boy*' (1995 James Fenton, 'Hamely Tongue');

— 4. '*A lock o yins cut thonner whun A wuz a* **weetchil**' (1997 Prose, James Fenton, 'The Flow' in Ullans, Nummer 5);

— 5. *'boy = lad, weefla, loon, **weetchil***' (1997 Philip Robinson, 'Ulster-Scots Grammar: Pronouns and People');

— 6. *'Tam wuz fun / Bae a **weetchil** eftther / Stricklies'* (1998 Poem, James Fenton, 'Mag an Tam' in Ullans, Nummer 6);

— 7. *'Whar anither **weetchil** micht 'a wanthered'* (1999 Poem, James Fenton 'Caramoany' in Ullans, Nummer 7);

— 8. *'Whar yince a hirdin **weetchil** stud, loast / A wee atween dreams'* (2004 Poem, James Fenton, 'On Slaimish' in Ullans, Nummers 9 & 10)

bouchal

— 1. *'**bouchal** = a boy or lad'* (1942 Hist., North Down 'Glossary')

gossoon

— 1. *'ye tak me tae be a terble **gassoon**'* (c.1880 Prose, W. G. Lyttle 'His Wedding');

— 2. *'**gossoon** = a boy'* (1995 James Fenton, 'Hamely Tongue')

wee lad

— 1. *'The **wee lad** is hoking out a boat for himself, out of that piece of wood'"* (1942 Hist., North Down 'Glossary');

— 2. *'what are ye tied like that fur, **wee lad**?'* (1943 Prose, Sam Hanna Bell 'Summer Loanen')

cadger

— 1. *'**cadger** or **codger** = a corner boy (sometimes used for "person") "He's a queer **codger** that."'* (1942 Hist., North Down 'Glossary');

— 2. *'**cadger** = a boy; a youth'* (1995 James Fenton, 'Hamely Tongue')

nadger

— 1. *'**nadger** = a 'fly' man; a small, insignificant person; a boy'* (1995 James Fenton, 'Hamely Tongue')

boyfriend = boy

— 1. *'**boy** = a boyfriend'* (1995 James Fenton, 'Hamely Tongue')

wooer

— 1. *'Tho' **wooers** lea ye, short an' sudden'* (1846 Poem, Samuel Turner, 'Song. O, But the Lads are Ready');

— 2. *'Whene'er their **wooers** cam' to see them'* (1876 Poem, David Herbison, 'The Auld Wife's Lament for her Teapot')

brother = brither

— 1. *'As for your gudwill to your **brethers** advancment, lett it kyth indeid'* (c. 1630 Letter from Isobell Haldane of Ballycarry);

— 2. *'and bid my **Brether** come'* (1767 Prose, James Murray, 'Letter to Rev. Baptist Boyd');

— 3. *'Come haste my **brither**! in a clap'* (1793 Poem, Samuel Thomson 'Elegy to my Auld Coat');

— 4. *'But gin ye be a holy **brither**'* (1799 Poem, Samuel Thomson 'The Bonnet – A Poem, Addresed to a Reverend Miser');

— 5. *'You're ay the **brither** o' the Bicker'* (1804 Poem, James Orr, 'Epistle to N—— P——, Oldmill');

— 6. *'Wi' heart an' saul, an' far mair true / Than money a **brither**'* (1811 Poem, John Meharg, 'Epistle to Francis Boyle (I)');

— 7. *'I borrow't it frae Ramsay's **brither***' 1811 Poem, Francis Boyle 'Fragment');

— 8. *'Lang, **brither** bardie, very lang'* (1812 Poem, David Colhoun 'An Epistle to the Crochan Bard');

— 9. *'No' just sae dear, but rhymin' **brithers***' (1813 Poem, Hugh Porter 'The Author's Preface');

— 10. *'Pit Salts just on the trail my **brithers***' (1844 Poem, Robert Huddleston 'On Salts');

— 11. *'The bodie wadna' own / Prince A'bert for a **brither!***' (1849 Poem, Samuel Turner, 'Song. The Portrait');

— 12. *'Her da an' auld Betty Mewhunyee wur **brither** an' sister'* (1880 Prose, W. G. Lyttle 'Peggy, and How I Courted Her');

— 13. *'He had also a letter frae Tammas, my **brither***' (1900 Poem, Thomas Given, 'Poetic Epistle tae Bab M'Keen, IV');

— 14. *'A thocht Jamie an' his **brither** Sam wud hae leeved thegether bachelors tae the en' o' their days'* (1902 Prose, Archibald McIlroy 'Wedding Bells');

— 15. *'Anither **brither** has a word'* (1905 Poem, Adam Lynn, 'The Ermy in Bellamena');

— 16. *'A'll ca' ye **brither***' (1906 Newsp., John McFall (An Aul Han), Northern Constitution: 'An Aul' Han' on Current Topics (II)');

— 17. *'My dear auld freen an' **brither** rhymer'* (1915 Poem, Agnes Kerr, 'To "Young Nummer"');

— 18. *'**brither** = brother'* (1995 James Fenton, 'Hamely Tongue');

— 19. *'English 'o'* → *Ulster-Scots i: brother =* **brither***, mother = mither, other = ither, tither, son = sin'* (1997 Philip Robinson, 'Ulster-Scots Grammar: Spelling and Pronunciation');

— 20. *'brother =* **brither***'* (1997 Philip Robinson, 'Ulster-Scots Grammar: Pronouns and People');

— 21. *'his* **brither** *who wus the owlest would get the Ranalstoon ferm whun his fether deet'* (1998 Prose, Ernest McA Scott, 'The Twa Tovin Brithers' in Ullans, Nummer 6);

— 22. *'And stanchly as a* **brither** *stan / Come sin, come sna'* (1998 Poem, James Fenton, 'Davy' in Ullans, Nummer 6);

— 23. *'Weans flittin, in scunners, an* **brithers** *deid'* (1999 Poem, Philip Robinson 'Alba and Albania' in Ullans, Nummer 7)

brothers, brethren = brithers, brethern

child = wean

— 1. *'O Father! cry'd the* **wean***, it is, you see'* (1753 Poem, William Starrat, 'Elegy on the death of Jonathan Swift');

— 2. *'Has made the* **wee anes** *twine and widdle'* (1793 Samuel Thomson, 'Elegy on R—— I——');

— 3. *'The winsome* **wean***, wi' heart fu' light / Smiles up, an' seeks a fairin, O'* (1804 Song, James Orr, 'Ballycarry Fair');

— 4. *'**wean** = a child'* (1824 Hist., George Dugall 'Northern Cottage Glossary');

— 5. *'Her gowden-hair'd — her dawted* **wean***'* (1832 Poem, Andrew McKenzie, 'Stanzas');

— 6. *'Their feckless weifs a* **wean** *nae bred'* (1844 Poem, Robert Huddleston 'Doddery Willowaim');

— 7. '*Tell a' ye meet, man, wife, an'* **wean**' (1846 Poem, Samuel Turner, 'Tailor Jock');

— 8. '*It wad only be fretting my wife an' ilk* **wean**' (1863 Poem, James Munce, 'My Wife an' the Weans');

— 9. '*Wi' nane to nurse or rock the* **wean**' (1873 Poem, David Herbison, 'The Wife's Welcome');

— 10. '**wean, wain** = *a child*' (1880 Hist., William Patterson 'Glossary of Antrim and Down');

— 11. '**Waens**, *dear, it's a big toon that!*' (c.1880 Prose, W. G. Lyttle 'His Christmas Day');

— 12. '*A knood a woman maesel' an' hir* **wane** *had the chin coch*' (1906 Newsp., John McFall (An Aul Han), Northern Constitution: 'An Aul' Han' on Current Topics (I)');

— 13. '*my laddie there is but a poor wee bit o' a crippled* **wean**, *and no fit to thole this*' (1907 Prose, 'Andrew James' (James Andrew Strahan), 'The Last O'Hara' in Blackwoods Edinburgh Magazine, May 1907);

— 14. '*take the* **wain** *hame = take the child home*' (1924 Hist., 'Logwood', 'Northern Whig: Ulster Words and Phrases');

— 15. '**wean** *(pronounced "***wane***")* = *young child*' (1942 Hist., North Down 'Glossary');

— 16. '*Shuey, send the* **wean** *fur a rope*' (1943 Prose, Sam Hanna Bell 'The Broken Tree');

— 17. '*as if I was a helpless* **wean**' (1951 Prose, Sam Hanna Bell 'December Bride');

— 18. '*Put a hippin on that* **wean**, *wud ye*' (1991 Prose, John A Oliver 'Girl, Name Forgotten');

— 19. '*fur wus'nt a bourn, / A Greba* **wean**, *though a streeched a bit as ye see*' (1994 Poem, Willis Hughes, 'An Ode tae Greba Toon' in 'Ullans', Nummer 2);

— 20. '*wain* = *a baby; a child*' (1995 James Fenton, 'Hamely Tongue');

— 21. '*child* = *wean, chile (often weetchil)*' (1997 Philip Robinson, 'Ulster-Scots Grammar: Pronouns and People');

— 22. '"*Tha social darger taen tha **wean** aff thaim theday,*" quo Sandy' (1998 Prose, Lee Reynolds, 'An Sae The Wur Gan' in Ullans, Nummer 6)

chile

— 1. '*chile* = *a child*' (1880 Hist., William Patterson 'Glossary of Antrim and Down');

— 2. '*child* = *wean, **chile** (often weetchil)*' (1997 Philip Robinson, 'Ulster-Scots Grammar: Pronouns and People')

weetchil

— 1. '*It wuz a career gettin that **weetchil** tae school the furst day*' (1995 James Fenton, 'Hamely Tongue');

— 2. '*child* = *wean, chile (often **weetchil**)*' (1997 Philip Robinson, 'Ulster-Scots Grammar: Pronouns and People');

— 3. '*Whar micht he rin, whut scoot-hole tak / Whar jook, the **wain**?*' (1998 Poem, James Fenton, 'Thonner an Thon' in Ullans, Nummer 6)

bairn

— 1. '*While warps and queels employ'd anither **bairn***' (1804 Poem, James Orr, 'The Penitent');

— 2. '*An' ilka ane five **bairns** did bear*' (1811 Poem, Francis Boyle 'The Strolling Piper ');

— 3. '*bairn* = *a child*' (1824 Hist., George Dugall 'Northern Cottage Glossary');

— 4. *'**bairn** = a child'* (1880 Hist., William Patterson 'Glossary of Antrim and Down');

— 5. *'Parents, guid man, an' **bairns**, in the picture gaed by hir'* (1900 Poem, Thomas Given, 'Remember the Poor');

— 6. *'**bairn** = child'* (1942 Hist., North Down 'Glossary')

pappin

— 1. *'**pappin**, also **pappit** = a child; an under-developed person; a small, ridiculous figure'* (1995 James Fenton, 'Hamely Tongue');

— 2. *'Bae thon wee **pappin**'s fiels it gaen'* (2001 Prose, James Fenton, 'The Lade' in Ullans, Nummer 8)

grouselin

— 1. *'**grouselin** = a child, a youngster'* (1995 James Fenton, 'Hamely Tongue')

children = weans

— 1. *'wee **weans** we white Sarks on them'* (1733 Prose, 'J.S.', The North Country-Man's Description of Christ's Church, Dublin);

— 2. *' Skulle for wee **weans**'* (1767 Prose, James Murray, 'Letter to Rev. Baptist Boyd');

— 3. *'Wi' a' the **weans** at his feet'* (1753 Poem, 'M', 'The Gartan Courtship');

— 4. *'Nor pauky **weans** again be tryin''* (1793 Poem, Samuel Thomson 'Lizie's Lament for her Dog Lion');

— 5. *'How poorfok's **weans** were fed and taught'* (1799 Poem, Samuel Thomson 'Allan, Damon, Sylvander, and Edwin, A Pastoral');

— 6. '*They pass by* **weans** *an' mithers*' (1804 Poem, James Orr, 'Donegore Hill');

— 7. '*since she deeit wha's* **wean** *ye wad betray!*' (1832 Prose, Samuel Ferguson 'The Wet Wooing');

— 8. '*You've such a trick o' spoiling* **weans**' (1824 Poem, George Dugall 'To Mrs. W—, B—d, Wth a little Dog');

— 9. '*whar baith maister an'servants, the leddy an' the* **weans**, *a'thegether*' (1841 Prose, William McComb, 'Letter I. To Mr John Hill, Belfast, 1st February, 1841', in: The Repealer Repulsed, Belfast, 1841);

— 10. '*An'* **weans** *bring on the worl' tae rang*' (1844 Poem, Robert Huddleston 'Epistle to Mr J Macoubrey');

— 11. '*So noo my puir bit wife an'* **weans**, / *Hold hard your breath, squeeze tight your wames*' (1847 Poem, 'Qui Vive' (James Smyth), 'Ten Pounds', in Northern Standard, 13 March 1847);

— 12. '*let the* **weans** *tak' a note o' this*' (1878 Newsp., John Weir (Bab M'Keen), Ballymena Observer: 'Bab M'Keen on Oilogy');

— 13. '*An' them that maistly pit it up / Big'd it for ither's* **weans**' (1891 Poem, Adam Lynn, 'Cullybackey');

— 14. '*Thus Nature provides for hir hoose an' hir* **wanes**' (1900 Poem, Thomas Given, 'A Song for February');

— 15. '*Wee feckless mite o' Nature's* **weans**' (1900 Poem, Thomas Given, 'To a Blue Bonnet');

— 16. '*lost in teachin' twa-three* **weans** *their ABCs*' (1902 Prose, Archibald McIlroy 'A Droll Specimen');

— 17. '*Am toul they spen' 8,000 pun odd in prizes for* **wanes**' (1906 Newsp., John McFall (An Aul Han), Northern Constitution: 'Bushside Letter (I)');

— 18. '*But that is juist wee work for* **weans**' (1915 Poem, Agnes Kerr, 'The 'Hochill Spriggin' Class');

— 19. '*Did they ate rhubarb an' whate when they were wee* **weans**, *rinnin' about the land av Canaan?*' (1943 Prose, Sam Hanna Bell 'This We Shall Maintain');

— 20. '*It maan be aw the neybour's* **waens**' (*circa* 1970 Hist., Robert J. Gregg (ed.), 'Haaleve');

— 21. '*An' man's destroyin' han', syne we wur* **weans**' (1995 Poem, Lyle McCurdy, 'Far Frae Oor Faithers Lann' in Ullans, Nummer 3);

— 22. '**wain** = *a baby; a child*' (1995 James Fenton, 'Hamely Tongue');

— 23. '**Weans** *theday wud gie ye an oul-fashioned luk, gif ye taaked o waakin til schule*' (1997 Prose, Isobel McCulloch, 'A Reekin Buck-Goat, a Ringle E'ed Doag and a Wheepin Whitrick' in Ullans, Nummer 5);

— 24. '*children* = **weans**, *childèr*' (1997 Philip Robinson, 'Ulster-Scots Grammar: Pronouns and People');

— 25. '**Weans** *flittin, in scunners, an brithers deid*' (1999 Poem, Philip Robinson 'Alba and Albania' in Ullans, Nummer 7)

childèr

— 1. '*children* = **childer**' (1712-1736 Hist., Funeral Register of First Belfast Presbyterian Church);

— 2. '*this is gaun to be a very severe night,* **childer**' (1834 Prose, John Getty 'Old Nannie Boyd');

— 3. '**childhre** = *children*' (1880 Hist., William Patterson 'Glossary of Antrim and Down');

— 4. '*hanged on the tree that as* **childer** *they aften played about and speeled up*' (1907 Prose, 'Andrew James' (James

Andrew Strahan), 'Nabob Castle. A Legend of Ulster' in Blackwoods Edinburgh Magazine, Feb. 1907);

— 5. *"Childer" is in a sense a more correct form of the plural of child than the ordinary English "children" for this latter is a double plural; the plural ending "en" has been added to a form that has already the plural ending "er". In German the normal plural of the corresponding word has only "er" in the plural (kinder)'* (1931 Hist., 'Scrutator' (Mid-Antrim), 'Northern Whig: Letters on Ulster Vernacular');

— 6. '*childer* = *the common plural of "child"*' (1942 Hist., North Down 'Glossary');

— 7. '*childer trying tae lep ower the sheugh*' (1991 Prose, John A Oliver 'Girl, Name Forgotten');

— 8. '*In amang tha fowk — menfowk, weeminfowk an childer*' (1995 Prose, John Erskine, 'Tha Earn Wäng (The Eaglewing)' in Ullans, Nummer 3);

— 9. '*children = weans, childèr*' (1997 Philip Robinson, 'Ulster-Scots Grammar: Pronouns and People')

childèrn

— 1. '*The reversal of 'r' and adjacent vowel. In words such as 'children', 'brethren', 'apron', 'modern', 'pretty', 'grass' and 'western', the Ulster-Scots forms often involve a reversal of the position of the letter 'r' and the adjacent vowel: apron — apern, modern — modren, pretty — purtie, grass — girse, western — wastren*' (1997 Philip Robinson, 'Ulster-Scots Grammar: Spelling and Pronunciation')

bairns

— 1. '*Dubline is verie hard bestead; for all the Brittishe and uthers that ar protestans, have send ther wyves, **bairnes** and goods away*' (1641 Letter from Hugh, Viscount

Montgomerie of the Great Airdes, to Alexander, Earl of Eglintoun);

— 2. *'May ye in geer an'* **bairns** *brow rife'* (1793 Poem, Samuel Thomson 'Epistle to Mr. R——, Belfast ... To the Same');

— 3. *'So, leaves a broken-hearted wife / An' beggar'd* **bairns***'* (1813 Poem, Hugh Porter 'The Drunkard's Fate');

— 4. *'***bairns** *= children'* (1813 Hist., Hugh Porter 'Glossary');

— 5. *'Her faithful partner, and her ruddy* **bairns***'* (1824 Poem, George Dugall 'Northern Cottage');

— 6. *'Nae play fur* **bairns** *in sich a sleet'* (1901 Poem, George Savage Armstrong 'A Snowy Day')

weanies

— 1. *'Kiss'd his* **weanies** *while they sleepit'* (1793 Poem, Samuel Thomson 'Watty and Meg. A Tale')

bairnies

— 1. *'See your poor young* **bairnies** *pleading'* (1793 Poem, Samuel Thomson 'Watty and Meg. A Tale')

community = fowk, resydentèrs, resydenter fowk, nighber-heid fowk

— 1. *'the man not being a constant* **residenter***'* (1656 entry in Mark Sweetnam ed. 'Minutes of the Antrim Ministers' Meeting, 1654-8');

— 2. *'***residenter** *= an old inhabitant'* (1880 Hist., William Patterson 'Glossary of Antrim and Down');

— 3. *'a wheen o' the auld freens, neibours, an'* **raysedenturs***'* (c.1880 Prose, W. G. Lyttle 'M'Quillan Abroad');

— 4. *'***resydenter** *(-tth-)= resident'* (1995 James Fenton, 'Hamely Tongue');

— 5. *'owl* **resydenter** = *a resident of many years' standing'* (1995 James Fenton, 'Hamely Tongue')

nighberheid

— 1. *'and wrought dayes dargnes in the* **neighbourhead**' (1719 entry from 'Ballycarry Session Book');

— 2. *'maist o' the young lassies in the* **niberhood**' (1902 Prose, Archibald McIlroy 'The Quilting');

— 3. *'an' purify the* **nighborheed**' (1878 Newsp., John Weir (Bab M'Keen), Ballymena Observer: 'Bab M'Keen on Antrim Sewerage');

— 4. *'***nighberheid** = *neighbourhood'* (1995 James Fenton, 'Hamely Tongue')

nighber-man, nighber-wumman

— 1. *'***nighber-man, nighber-wumman** = *man, woman of the neighbourhood'* (1995 James Fenton, 'Hamely Tongue')

(the fishing community) = tha fisher fowk

(the community in Greyabbey) = tha Greba fowk

crowd = thrang

— 1. *'Ald-farrand Hab increast the* **thrang**' (1753 Poem, William Starrat, 'The Pig, or the power of Prejudice');

— 2. *'In the* **thrang** *o' stories telling'* (1793 Poem, Samuel Thomson 'Watty and Meg. A Tale');

— 3. *'Bred up amang the rustic* **thrang**' (1811 Poem, Francis Boyle 'Preface');

— 4. *'To give the echo to the* **thrang**' (1813 Poem, Hugh Porter 'To Reverend T.T., After an Absence');

— 5. *'And Nick an' Barney's i' the* **thrang**' (1844 Poem, Robert Huddleston 'The Lammas Fair');

— 6. *'While this will only raise a **thrang**'* (1873 Poem, David Herbison, 'An Epistle to Samuel Corry, Ballyclare');

— 7. *'**thrang** = throng, crowded'* (1942 Hist., North Down 'Glossary');

— 8. *'**thrang** (-ah-) = throng. adj. crowded (The toon's aye **thrang** on a Seterday); busy with customers (Hir shap's naw too **thrang**, A doot); busy, having plenty of work in hand (We'r fairly **thrang** at the minute)'* (1995 James Fenton, 'Hamely Tongue')

— 9. *'A 'crowd' of people is a **thrang** in Ulster-Scots, but crowd or crood is sometimes used where 'group' or 'attendance' might be expected in English (e.g. Wuz there a big crood in tha hoose last nicht?). Crowd is also used sometimes to refer to a sizeable collection of objects as well as people: Yer man haes a hale crowd o bikes forbye. ('He has a whole lot of bicycles as well'.)'* (1997 Philip Robinson, 'Ulster-Scots Grammar: Pronouns and People')

crood

— 1. *'**crood** = crowd'* (1995 James Fenton, 'Hamely Tongue');

— 2. *'A 'crowd' of people is a thrang in Ulster-Scots, but crowd or **crood** is sometimes used where 'group' or 'attendance' might be expected in English (e.g. Wuz there a big **crood** in tha hoose last nicht?). Crowd is also used sometimes to refer to a sizeable collection of objects as well as people: Yer man haes a hale crowd o bikes forbye. ('He has a whole lot of bicycles as well'.)'* (1997 Philip Robinson, 'Ulster-Scots Grammar: Pronouns and People')

dose

— 1. *'**dose** = a collection or crowd (A whole **dose** o them's agane him)'* (1995 James Fenton, 'Hamely Tongue')

paircel

— 1. *'Yer a **percel** o' haythens!'* (c.1880 Prose, W. G. Lyttle 'His Trip tae Glesco')

rake

— 1. *'**rake** = a lot; a crowd (a **rake** o stuff; a **rake** o yins)'* (1995 James Fenton, 'Hamely Tongue')

daughter = dauchtèr

— 1. *'my thrie youngest **Dauchters** and thrie sones … my **dauchters** and ther heirs'* (1624 Will of William Boyd of Dunluce);

— 2. *'so as theis your hopfull **dochteiris** ar lek to hawe no confort from yow'* (1631 Letter from Hugh, Viscount Montgomerie of Airds, to Sara, Countess of Wigton);

— 3. *'Daughter = **doghter'*** (1712-1736 Hist., Funeral Register of First Belfast Presbyterian Church);

— 4. *'Wha'd tie e'en thy **do'ghter** for gowd tae a slave'* (1844 Poem, Robert Huddleston 'Sweet Bloomin' Lassie o' Lovely Drumarrah');

— 5. *'yer sons an' **dochters** hae made a lauchin' sport o' ye'* (1878 Newsp., John Weir (Bab M'Keen), Ballymena Observer: 'Bab M'Keen on the Eclipse');

— 6. *I bestowe all i hae onn James Keag's eldest **dochterr** barring what iss to bury mee ''* (1879 Prose, May Crommelin 'Orange Lily');

— 7. *'What's wrang, **dochter'*** (c.1880 Prose, W. G. Lyttle 'His Wee Paddy');

— 8. *'My **dochter** Susanna's man warks on the Queen's Islan''* (1880 Prose, W. G. Lyttle 'The Meer's Proclamation');

— 9. *'Fower **dochters** in deein' the lord o' Knockreagh / Wi'* *their mither left, waens, at the Ha"* (1901 Poem, George Savage Armstrong 'Miss Maud');

— 10. *'what Hughie 'Whustle (Entwhistle) said aboot his **dochters'*** (1902 Prose, Archibald McIlroy 'Wedding Bells');

— 11. *'An' **dochters** juist like their mothers'* (1911 Poem, by "Young Nummer" (Adam Lynn): 'Craigs', in Ballymena Weekly Telegraph, 13 May 1911);

— 12. *'daughter = **(dauchter)*** [ˈdɔːxtəɹ] *(Ulster-Scots)'* (1985 Hist., Robert J. Gregg, 'Markers of Ulster-Scots Speaking Areas in Ulster');

— 13. *'**dochter** (-tth-) = daughter; familiarly a girl or a woman (as addressed: **Dochter**, dear, gie yersel nae fash aboot thon client - he's his fether's sin, a' richt)'* (1995 James Fenton, 'Hamely Tongue');

— 14. *'Mordie haed her tuk in as his ain **dauchter** an raired her'* (1997 Prose, Philip Robinson, 'Esther: Quaen o tha Ulidian Pechts');

— 15. *'ch in Ulster-Scots for English 'gh' (eg in nicht, focht, bricht, etc.). The Germanic 'ch' sound, as in 'loch', or 'lough', is one of the most characteristic sounds in Scots and Ulster-Scots. In Older Scots, and from the late 19th century on in Ulster-Scots, this feature has been consistently represented by a '-ch' spelling: night – nicht, light – licht, eight – echt, bright – bricht, brought – brocht, fight – fecht, fought – focht, bought – bocht, rough – ruch, daughter – **dochtèr'*** (1997 Philip Robinson, 'Ulster-Scots Grammar: Spelling and Pronunciation');

— 16. *'daughter = **dochtèr**. Note: In the same way that the term 'son' is used in colloquial speech as a familiar form of address to any young male, so **dochtèr** is used in Ulster-Scots for any young girl or lady'* (1997 Philip Robinson,

'Ulster-Scots Grammar: Pronouns and People');

— 17. *'Oanywey, thur wus Mistrus Keag aun thie **dauch-ters** aun a sin'* (2001 Prose, John M'Gimpsey Johnston 'Another Ulster-Scots Writer' in Ullans, Nummer 8)

daughter-in-law = dauchtèr-in-laa

distant relation = far-oot freen

everyone = iverybodie

— 1. *'**iveryboady**, **iverybuddy** = everyone'* (1995 James Fenton, 'Hamely Tongue')

— 2. *'everyone = **iveriebodie**'* (1997 Philip Robinson, 'Ulster-Scots Grammar: Nouns and Numbers')

aa

— 1. *'**a**' = all, every one'* (1824 Hist., George Dugall 'Northern Cottage Glossary')

aaman

— 1. *'**a'man** = I have heard this expression in the sense of everybody. Is that generally believed? It is by **a'man**'* (1892 Hist., Mid-Antrim 'Glossary')

yin an aa

— 1. *'An' **ane**, an' **a**', took tae the chace'* (1844 Poem, Robert Huddleston 'Doddery Willowaim');

— 2. *'Come and join the British Order / O' the Gerners, **yin and a**''* (1897 Poem, Adam Lynn, 'Come and join us');

— 3. *'Tae watch them spriggin **yin an a**''* (1915 Poem, Agnes Kerr, 'The 'Hochill Spriggin' Class, (II)')

family = femilie

— 1. *'yours saielfe and laday, with all the rest of that honorabill* ***famely'*** (c. 1627 Letter from John Hamilton of County Down);

— 2. *'my Love to your sel Reverend Baptist Boyd, and aw yer* ***family'*** (1767 Prose, James Murray, 'Letter to Rev. Baptist Boyd');

— 3. *'A suppoas ye hae a wife an'* ***family?'*** (c.1880 Prose, W. G. Lyttle 'His Christmas Day');

— 4. *'family = **(femlie)** [ˈfɛːmle] (Ulster-Scots)'* (1985 Hist., Robert J. Gregg, 'Markers of Ulster-Scots Speaking Areas in Ulster');

— 5. *'**femly** = family'* (1995 James Fenton, 'Hamely Tongue');

— 6. *'Tha **fem'ly** line or jist a sense o' place'* (1995 Poem, Lyle McCurdy, 'Far Frae Oor Faithers Lann' in Ullans, Nummer 3);

— 7. *'**femly** = family'* (1995 James Fenton, 'Hamely Tongue');

— 8. *'tae see his brither an his* ***femily'*** (1998 Prose, Ernest McA Scott, 'The Twa Tovin Brithers' in Ullans, Nummer 6)

ain fowk(s)

— 1. *'Wi' God's **ain folk** you'll closer link'* (1863 Poem, James Munce, 'Epistle to William S—, Donaghadee');

— 2. *'Quhit-wye cud A thole it gif ma **ain fowks** wus aa murdered?'* (1997 Prose, Philip Robinson, 'Esther: Quaen o tha Ulidian Pechts')

lo'ed yins

— 1. *'Whar **lo'd yins** tak' thir last sleep'* (1911 Poem, Adam Lynn, 'Craigs, Cullybackey');

(a family of eight) = echt o a femlie

— 1. *'o a femly = a family of (six **o a femly**)'* (1995 James Fenton, 'Hamely Tongue')

(a one-child family) = cuckoo's lachtèr

— 1. *'**cuckoo's lachter** = a one-child family'* (1995 James Fenton, 'Hamely Tongue')

(a two-child family) = pigeon's lachtèr

— 1. *'**pigeon's lachter** = a two-child family'* (1995 James Fenton, 'Hamely Tongue')

(a young family) = bits o weans

— 1. *'**bits o wains** = (affectionate or sympathetic term for) a young family (It's naw yin bit odds aboot the pair o them, but it's a peety o the **bits o wains**)'* (1995 James Fenton, 'Hamely Tongue')

(my family) = me an mine

— 1. *'**me an mine** = my family'* (1995 James Fenton, 'Hamely Tongue')

(our family) = oor yins

— 1. *'**ooryins** = our family. Similarly we have His yins, her yins, them yins, &c'* (1892 Hist., Mid-Antrim 'Glossary');

— 2. *'**oor yins** = my people or family'* (1942 Hist., North Down 'Glossary');

— 3. *'**oor yins** = our family'* (1995 James Fenton, 'Hamely Tongue')

(your family) = yer ain yins

— 1. *'yer ain yins* = *your family'* (1995 James Fenton, 'Hamely Tongue')

father = faither

— 1. *'desire my **Fether** and my mether too'* (1767 Prose, James Murray, 'Letter to Rev. Baptist Boyd');

— 2. *'Nae **fether** to hear thee greet, Jeanie'* (1819 Poem, Thomas Beggs 'The Wee Pauper Wean');

— 3. *'Wi' **faither** and mither, and a' we should part'* (1863 Poem, James Munce, 'My Wife an' the Weans');

— 4. *'her **feayther** and her sung on Sabbaths'* (1877 Prose, Richard Sinclair Brooke 'The Glenswillians');

— 5. *'Her **feyther** had been ower in Inglan' sellin' a wheen heifers'* (c.1880 Prose, W. G. Lyttle 'His Tay Perty');

— 6. *'An' he rides roon' the Airds whaur his **faythers** helt sway'* (1901 Poem, George Savage Armstrong 'The Spectre of Knockdoo');

— 7. *'**faither** an' mother o' the mason'* (1902 Prose, Archibald McIlroy 'Tovey's Last Resting Place');

— 8. *'Oh, that's me **fether'*** (1906 Newsp., John McFall (An Aul Han), Northern Constitution: 'Bushside Letter (II)');

— 9. *'My **feyther** wass standing davered like'* (1907 Prose, 'Andrew James' (James Andrew Strahan), 'Nabob Castle. A Legend of Ulster' in Blackwoods Edinburgh Magazine, Feb. 1907);

— 10. *'Wha al' ir brave sons o' brave **fethers'*** (1911 Poem, by "Young Nummer" (Adam Lynn): 'Craigs', in Ballymena Weekly Telegraph, 13 May 1911);

— 11. *'father* [ˈfaːðər] *(Mid-Ulster English)* = **fether** [ˈfɛːðər] *(Ulster-Scots)'* (1959 Hist., Robert J. Gregg, Ulster-Scots 'markers' in 'The Ulster Dialect Survey');

— 12. *'father* = **(fether)** [ˈfɛːðəɹ] *(Ulster-Scots)'* (1985 Hist., Robert J. Gregg, 'Markers of Ulster-Scots Speaking Areas in Ulster');

— 13. *'Fur aince mair noo on this oor **faithers** lann'* (1995 Poem, Lyle McCurdy, 'Far Frae Oor Faithers Lann' in Ullans, Nummer 3);

— 14. *'**fether**, **faither** = father'* (1995 James Fenton, 'Hamely Tongue');

— 15. *'Noo mae **faither** didnae wark tae th' fermers'* (1997 Charlie Reynolds, 'Ma Childhood Hame' in Ullans, Nummer 5);

— 16. *'Weel, oanywie. Mae **fether**, lake the big-en o the ithers, wrocht at the breeshtin'* (1997 Prose, James Fenton, 'The Flow' in Ullans, Nummer 5);

— 17. *'father = da, daddie, **fether**'* (1997 Philip Robinson, 'Ulster-Scots Grammar: Pronouns and People');

— 18. *'Wae the wheen o' pun his **fether** had geen him'* (1998 Prose, Ernest McA Scott, 'The Twa Tovin Brithers' in Ullans, Nummer 6);

— 19. *'acause thur wus a Mister Mawhunnyae fae Bilfaust thaut ma **Faither** din bits o ingineerin wark fer'* (2001 Prose, John M'Gimpsey Johnston 'Another Ulster-Scots Writer' in Ullans, Nummer 8);

— 20. *'An whiles I think mae **fether** is steerin' thon oul pen'* (2001 Poem, Charlie Gillen 'Niver Loass Hairt' in Ullans, Nummer 8) daddie

— 1. *'Wha whan* **daddy** *an' minny were sleeping wad down'* (1799 Poem, Samuel Thomson 'Allan, Damon, Sylvander, and Edwin, A Pastoral');

— 2. *'He's like the* **daddie**' (1824 Poem, George Dugall 'Epistle to Mr. J McG—, Londonderry');

— 3. *'***daddie** = *a father"* (1824 Hist., George Dugall 'Northern Cottage Glossary');

— 4. *'***daddy** = *the common name for father'* (1892 Hist., Mid-Antrim 'Glossary');

— 5. *'Rin awa' an' meet your* **daddie**' (1915 Poem, Agnes Kerr, 'Daddie');

— 6. *'father = da,* **daddie**, *fether'* (1997 Philip Robinson, 'Ulster-Scots Grammar: Pronouns and People')

da

— 1. *'so* **da** *just took the big stick and threshed me till make me cry'* (1879 Prose, May Crommelin 'Orange Lily');

— 2. *'***da, dada** = *father' ... 'Hi* **da**! *come home to the wain!' '* (1880 Hist., William Patterson 'Glossary of Antrim and Down');

— 3. *'a nice wee boy that ca's me "***Da**."' (c.1880 Prose, W. G. Lyttle 'His Wee Paddy');

— 4. *'His* **da**'s *no at home'* (1951 Prose, Sam Hanna Bell 'December Bride');

— 5. *'***da** = *father (the most commonly used term)'* (1995 James Fenton, 'Hamely Tongue');

— 6. *'father = * **da**, *daddie, fether'* (1997 Philip Robinson, 'Ulster-Scots Grammar: Pronouns and People')

him

— 1. *'him = often husband; father (Ye'll hae tae aks **him**)'*
(1995 James Fenton, 'Hamely Tongue')

oul buck *(derrog.)*

Father Christmas, Santa Claus = Daddie Chrissmas

father-in-law = faither-in-laa

forename, first name = Christyin naem

foreigner = stranger

— 1. *'stranger = person from outside the area'* (1987 Hist.,
Tom Porter and Charles Cunningham, 'Mourne Dialect'
in '12 Miles of Mourne – Journal of the Mourne Local
Studies Group', Vol. 1);

— 2. *'stranger = an outsider; one outside the family connection
(He'll surely naw gie the job tae a **stranger**. Also fig. as in:
Sowl an you'r a bit o a **stranger**! to one who has not called
recently)'* (1995 James Fenton, 'Hamely Tongue')

gentry = quality

— 1. *'the **quelity** mix up in their gran dishes'* (1878 Newsp.,
John Weir (Bab M'Keen), Ballymena Observer: 'Bab
M'Keen on Oilogy');

— 2. *'Hould yer whisht! here's the **quality**!'* (1879 Prose, May
Crommelin 'Orange Lily');

— 3. *'**quality** = gentry'* (1880 Hist., William Patterson
'Glossary of Antrim and Down');

— 4. '*quality (w. the) = those of high social standing (They wud lake tae coont theirsels amang the quality)*' (1995 James Fenton, 'Hamely Tongue')

girl = lass

— 1. '*a Lass gets 4 Shillings and 6 Pence a Week*' (1767 Prose, James Murray, 'Letter to Rev. Baptist Boyd');

— 2. '*The lass that's winsome, plump, and fair*' (1753 Poem, 'M', 'The Gartan Courtship');

— 3. '*Our Norland lasses may look wae*' (1793 Samuel Thomson, 'Elegy on R—— I——');

— 4. '*Whar lads an' lasses ay repair*' (1793 Poem, Samuel Thomson 'The Simmer Fair');

— 5. '*Janet, lass, fetch your cusin a dram*' (1832 Prose, Samuel Ferguson 'The Wet Wooing');

— 6. '*And heard the lads and lasses there*' (1875 Poem, James McKeown, 'Lines Inscribed to Mr. D. Herbison');

— 7. '*There wuz anither terble purty lass in a wee box place*' (c.1880 Prose, W. G. Lyttle 'His Christmas Day');

— 8. '*What are ye greetin' at, lass?*' (1902 Prose, Archibald McIlroy 'Geordie Eslor's Fortitude');

— 9. '*an' at the dancin' A niver sa' a lot o' bonnier lasses in mae life*' (1906 Newsp., John McFall (An Aul Han), Northern Constitution: 'An Aul' Han' on Current Topics (I)');

— 10. '*My dear auld lass, or Eddim's dear*' (1915 Poem, Agnes Kerr, 'Tae Eddim's Auld Lass');

— 11. '*Twa big lasses, wi poother-bue tap coáts on*' (1995 Prose, Thomas Finegan, 'Gie Us The Day' in Ullans, Nummer 3);

— 12. '*a hale wheen o lasses wus brung tae Duncunning*' (1997

Prose, Philip Robinson, 'Esther: Quaen o tha Ulidian Pechts');

— 13. *'girl = **lass**, weelass, hizzie'* (1997 Philip Robinson, 'Ulster-Scots Grammar: Pronouns and People')

lassie

— 1. *'Nae muckle o' that, but a douce, good-humored **lassie** for a' that'* (1847 Prose, Charles Lever 'Sandy M'Grane');

— 2. *'O whare is my **lassie**, sae fair, sae fair'* (1825 Poem, David Herbison, 'Song'), gerl — 1. *'**gerl** = girl'* (1995 James Fenton, 'Hamely Tongue')

hizzie

— 1. *'Alas! that **hizzie** teuk much pains'* (1811 Poem, Francis Boyle 'Address to Robert Burns');

— 2. *'But this has put the **hizzie** hyte'* (1813 Hist., Hugh Porter 'To J. J., A Brither Rhymer');

— 3. *'a rosy-cheeked, black-e'ed wee **hizzie** wi' a tender heart'* (1902 Prose, Archibald McIlroy 'The Quilting');

— 4. *'that's aye luckin' for a yung **hissie'*** (1906 Newsp., John McFall (An Aul Han), Northern Constitution: 'An Aul' Han' on Current Topics (I)');

— 5. *'**huzzie** = a young girl (rather derogatory)'* (1942 Hist., North Down 'Glossary');

— 6. *'Och! och! tae wed e'en sic a **hissy!'*** (1844 Poem, Robert Huddleston 'Doddery Willowaim');

— 7. *'Aft cryin' the deil's in the tappitless **hizzie'*** (1846 Poem, Samuel Turner, 'Song. The Laird o' Glencraigie');

— 8. *'**wee hizzy** = a girl' … '**hizzy** = (usu. w. **wee**) a young girl; a girl'* (1995 James Fenton, 'Hamely Tongue');

— 9. *'An hel the **hizzies** bra / But hel them oany in wer* *heid'* (1997 Poem, James Fenton, 'Minin Bab' in Ullans, Nummer 5);

— 10. *'girl = lass, weelass,* **hizzie**' (1997 Philip Robinson, 'Ulster-Scots Grammar: Pronouns and People')

tittie

— 1. *'My* **tittie** *cries, "Meg, dinna pine'* (1846 Poem, Samuel Turner, 'Song. O, But the Lads are Ready')

grandchild = granwean

— 1. *'that's my* **granwaen***, ye ken, that leevs wi' us'* (1880 Prose, W. G. Lyttle 'Colorado Beetle')

oe

— 1. *'oe = a grandchild'* (1824 Hist., George Dugall 'Northern Cottage Glossary')

granddaughter = grandauchtèr

— 1. *'***grandaughter** *(-tth-),* **grandochter** *(-tth-) = granddaughter'* (1995 James Fenton, 'Hamely Tongue')

grandfather = granda

— 1. *'Some worthless* **grandas** *hearts 'twere hard'* (1844 Poem, Robert Huddleston 'The Lammas Fair');

— 2. *'Acurse, efter tha boyes tuck aff, ma* **Graunda** *wus left hes lane'* (2001 Prose, John M'Gimpsey Johnston, 'Ma Granda aun Dauvit Hugh's Deuks' in Ullans, Nummer 8)

(hist.) gutcher

— 1. *'And learns thee in thy umquhile* **Gutcher's** *Tongue'* (c. 1722 Poem, William Starrat of Strabane: 'A Pastoral in Praise of Allan Ramsay') granfaither

— 1. *'**granfether** = grandfather'* (1995 James Fenton, 'Hamely Tongue');

— 2. *'John wus ma **Graunfaither** wha A was caad efter'* (2001 Prose, John M'Gimpsey Johnston 'Another Ulster-Scots Writer' in Ullans, Nummer 8)

grandmother = grannie

— 1. *'Auld **granny** i' the peet-neuk sat'* (1793 Poem, Samuel Thomson 'Lizie's Lament for her Dog Lion');

— 2. *'Wale jads, as gruesome as my **grannie**, / Thraun reestet deels'* (1804 Poem, James Orr, 'Epistle to N—— P——, Oldmill');

— 3. *'**grannie** = grandmother'* (1824 Hist., George Dugall 'Northern Cottage Glossary');

— 4. *'Now by the creek whaur **grannie** Gibb'* (1844 Poem, Robert Huddleston 'Doddery Willowaim');

— 5. *'she leeved wi' her auld **granny**'* (1880 Prose, W. G. Lyttle 'Peggy, and How I Courted Her');

— 6. *'Ye're dotin again, **Granny**'* (1991 Prose, John A Oliver 'Girl, Name Forgotten');

— 7. *'grandmother = **grannie**'* (1997 Philip Robinson, 'Ulster-Scots Grammar: Pronouns and People');

— 8. *'**Grannie** hapt in a barra, alang wi tha breid / Nae catter ava'* (1999 Poem, Philip Robinson 'Alba and Albania' in Ullans, Nummer 7);

— 9. *'Feart / Ma **granny** micht greet'* (1999 Poem, Mark Thompson 'A Bricht February Mournin' in Ullans, Nummer 7)

group = core

— 1. '*Ye cantin' core!*' (1793 Samuel Thomson, 'Elegy on R—— I——')

concern

— 1. '***concern*** = *usu. derog. a particular group of people; an organisation; a family, etc. (They'r a **concern**: naw yin o them wud luck tae see whather A'm leevin or deed)*' (1995 James Fenton, 'Hamely Tongue')

(noisy group, originally of sheep) = hirsle

— 1. '*On Crochan Buss my **Hirdsell** took the Lee*' (c. 1722 Poem, William Starrat of Strabane: 'A Pastoral in Praise of Allan Ramsay');

— 2. '***hirsel*** = *a loose bundle, as, A **hirsel** o' clothes. I think I heard the expression, A **hirsel** o' weans, applied when there was a big family*' (1892 Hist., Mid-Antrim 'Glossary');

— 3. '***hirsel*** = *a large quantity, as a hirsel of books*' (1924 Hist., 'N. Antrim', 'Northern Whig: Ulster Words and Phrases');

— 4. '*Thar wus this pair ahint me wi a **hirsel** o weans*' (1995 Prose, Isobel McCulloch, 'Daein the Messages' in Ullans, Nummer 3);

— 5. '*she haes a hale **hirsel** o wains*' (1995 James Fenton, 'Hamely Tongue')

(group of disliked people) = batch

— 1. '***batch*** = *derog. or contempt. a low, dirty, etc. family or other group of people*' ... '*haein a **batch** lake thon leevin nixt ye*' (1995 James Fenton 'Hamely Tongue') clatchin

— 1. '*clatchin = usu. derog. a group or collection of people or things*' ... '*There's a **clatchin** o gypsies hingin aboot the bak road ... A hae a **clatchin** o things should 'a been clodded oot years ago*' (1995 James Fenton 'Hamely Tongue')

pack

— 1. '*young Foke in Ereland are aw but a **Pack** of Couards*' (1767 Prose, James Murray, 'Letter to Rev. Baptist Boyd');

— 2. '*Waeworth the proud prelatic **pack***' (1804 Poem, James Orr, 'To the Potatoe');

— 3. '*They're but a **pack** o' randies*' (1844 Poem, Robert Huddleston 'The Lammas Fair')

herself = hersel

— 1. '*Wha brew't in tinfu's by **hersel*** ' (1804 Poem, James Orr, 'Tea');

— 2. '*hersel = herself*' (1824 Hist., George Dugall 'Northern Cottage Glossary');

— 3. '*She thocht **hirsel** nae twitter*' (1892 Hist., Mid-Antrim 'Glossary');

— 4. '*She marks them oot for us **hirsel***' (1915 Poem, Agnes Kerr, 'The 'Hochill Spriggin' Class');

— 5. '*hirsel (-sel') = herself; by herself (leeves **hirsel**)*' (1995 James Fenton, 'Hamely Tongue');

himself = hissel

— 1. '***Himsel** was there; when on his breast*' (1753 Poem, William Starrat, 'The Gout and the Flea');

— 2. '*Sat an' smoakit by **himsel***' (1793 Poem, Samuel Thomson 'Watty and Meg. A Tale');

— 3. *'himsel = himself'* (1824 Hist., George Dugall 'Northern Cottage Glossary');

— 4. '*then gaed in himsell, and pyed them through the windows*' (1832 Prose, Samuel Ferguson 'The Wet Wooing');

— 5. '*Yon's but the track maker himsel"* (1844 Poem, Robert Huddleston 'Doddery Willowaim');

— 6. '*An' says tae himsel' a'll hae denties tae pree'* (1900 Poem, Thomas Given, 'A Song for February');

— 7. '*himsel, also hissel = himself; by himself'* (1995 James Fenton, 'Hamely Tongue')

his ain sel

— 1. '*sae he cried in tha seiven carlins he kepp as hauns for his ain sel'* (1997 Prose, Philip Robinson, 'Esther: Quaen o tha Ulidian Pechts')

hissel

— 1. *'hisself = himself'* (1880 Hist., William Patterson 'Glossary of Antrim and Down');

— 2. '*A man mak's hissel' believe that he has received a Divine call'* (1902 Prose, Archibald McIlroy 'The Minister's Call');

— 3. '*pu'd hissel up straucht'* (1995 Prose, Thomas Finegan, 'Gie Us The Day' in Ullans, Nummer 3);

— 4. '*Hisel an the weechil that's quat the scholarin'* (1995 Prose, Ernest McA Scott, 'The Oul Wye' in Ullans, Nummer 3);

— 5. '*hissel (his-sel') = himself (himsel perh. more common); by himself'* (1995 James Fenton, 'Hamely Tongue');

— 6. '*tha mair he wus a widda-man hissel'* (1997 Prose, Philip Robinson, 'Esther: Quaen o tha Ulidian Pechts');

— 7. '*The '-self' pronouns = sel (singular) and –sels (plural)* *endings in Ulster-Scots: "He gien **hissel** a dunt" ('He gave himself a nudge'), "'The' seen thairsels oot" ('They saw themselves out'). Note that both of these forms differ from Standard English in their base (his / thair) as well as in their second element (sel / sels), although the himsel and thaimsels forms are, of course, also used ... himself (**hissel**) = his lane'* (1997 Philip Robinson, 'Ulster-Scots Grammar: Pronouns and People');

— 8. *'Betimes he cudnae haunnel aa tha wark **hesel**'* (2001 Prose, John M'Gimpsey Johnston, 'Ma Granda aun Dauvit Hugh's Deuks' in Ullans, Nummer 8);

housewife = guidwife; wifie

— 1. *'While a fand **Wifie** fast is fislin'* (1804 Poem, James Orr, 'To the Potatoe');

— 2. *'the **goodwife** was preparing the pig's pottage'* (1879 Prose, May Crommelin 'Orange Lily')

husband and wife = him an hir

— 1. *'Noo luck,' qu' he, 'whutiver they daen or wur / At, **him an hir** —'* (1998 Poem, James Fenton, '**Him an Hir**' in Ullans, Nummer 6)

human = christen

— 1. *'**Christen** = a human being' ... 'The poor dog was lyin' on a **Christen**'s bed'* (1880 Hist., William Patterson 'Glossary of Antrim and Down');

— 2. *'**christen** = a human being as opposed to a brute beast, not comparing a brute beast to a **christen**'* (1942 Hist., North Down 'Glossary')

humanity = mankine

— 1. *"Tis just the same wi a' **man kin**'[rhymed with 'repine']* (1793 Poem, Samuel Thomson 'Elegy, to my Auld Shoen');

— 2. *'Let's loup abune it wae a cheer, / As **mankin**' should'* (1900 Poem, Thomas Given, 'To a Blue Bonnet');

— 3. *'humanity = **mankine**'* (1997 Philip Robinson, 'Ulster-Scots Grammar: Pronouns and People');

— 4. *'An kennin o tha inherent mense an tha einlie an sicar richts o aa memmers o tha clan o **mankynn**'* / Whereas recognition of the inherent dignity and of the equal and inalienable rights of all members of the human family' (1999 Translation, Ian James Parsley 'UN Declaration of Human Rights' in Ullans, Nummer 7);

— 5. *'tae regalate the wies an woes o **mankine**'* (2001 Prose, James Fenton, 'The Lade' in Ullans, Nummer 8)

husband = guidman (now commonly – hir man, mae man, etc.)

— 1. *'Our auld **gude man** haf tynes his wit'* (1799 Poem, Samuel Thomson 'Listen Lizie, Lilting to Tobacco');

— 2. *'Here, gash **guidmen**, wi' nightcaps on'* (1804 Poem, James Orr, 'The Passengers');

— 3. *'"Come tell me then," the **guidman** said '* (1811 Poem, Francis Boyle 'The Strolling Piper ');

— 4. *'Now Loudy's gane, the leal **guidman**'* (1819 Poem, Thomas Beggs 'Whar Loudy Liev'd Langsyne');

— 5. *'**guidman** = master of a house'* (1824 Hist., George Dugall 'Northern Cottage Glossary');

— 6. *'How this **guidman**, and that guidwife'* (1844 Poem, Robert Huddleston 'Doddery Willowaim');

— 7. *'Such a pair as they are!" cried the old woman to her* **goodman***'* (1879 Prose, May Crommelin 'Orange Lily');

— 8. *'you an' yer* **gude man***'* (c.1880 Prose, W. G. Lyttle 'M'Quillan Abroad');

— 9. *'Parents,* **guid man***, an' bairns, in the picture gaed by hir'* (1900 Poem, Thomas Given, 'Remember the Poor');

— 10. *'An' her* **guid-mon** *might whustle fur Betty MacBlaine!'* (1901 Poem, George Savage Armstrong 'Betty MacBlaine');

— 11. *'* **gudeman** *= husband'* (1924 Hist., 'Duncairn (North Derry)', 'Northern Whig: Ulster Words and Phrases');

— 12. *'* **guid-man** *= the husband'* (1942 Hist., North Down 'Glossary');

— 13. *'ilka* **guidman** *maun be maister in his ain hoose, an hae tha last wurd'* (1997 Prose, Philip Robinson, 'Esther: Quaen o tha Ulidian Pechts');

— 14. *'husband =* **guidman** *(now commonly – hir man, mae man, etc.)'* (1997 Philip Robinson, 'Ulster-Scots Grammar: Pronouns and People');

— 15. *'Weemin girnin owre deid* **guidman***, / Wrangs aye in mynn'* (1999 Poem, Philip Robinson 'Alba and Albania' in Ullans, Nummer 7)

him

— 1. *'* **him** *= often husband; father (Ye'll hae tae aks* **him***)'* (1995 James Fenton, 'Hamely Tongue')

man

— 1. *'My dochter Susanna's* **man** *warks on the Queen's Islan"* (1880 Prose, W. G. Lyttle 'The Meer's Proclamation');

— 2. *'a wee widda wumman an thà Dear knows scho haed it haird for her* **mon** *wus aye stocious'* (1995 Prose, Isobel McCulloch, 'Daein the Messages' in Ullans, Nummer 3);

— 3. '*Ilka wumman wull gie her **mon** richt an proaper respeck, gin he be weel-aff or no*' (1997 Prose, Philip Robinson, 'Esther: Quaen o tha Ulidian Pechts');

— 4. '*husband = guidman (now commonly – hir **man**, mae **man**, etc.)*' (1997 Philip Robinson, 'Ulster-Scots Grammar: Pronouns and People');

— 5. '*An laid her alangside her **man***' (1999 Poem, Mark Thompson 'A Bricht February Mournin' in Ullans, Nummer 7);

individuals = yins

inhabitant = resydentèr

— 1. '*the man not being a constant **residenter***' (1656 entry in Mark Sweetnam ed. 'Minutes of the Antrim Ministers' Meeting, 1654-8');

— 2. '***residenter** = an old inhabitant*' (1880 Hist., William Patterson 'Glossary of Antrim and Down');

— 3. '*a wheen o' the auld freens, neibours, an' **raysedenturs***' (c.1880 Prose, W. G. Lyttle 'M'Quillan Abroad');

— 4. '***resydenter** (-tth-)= resident*' (1995 James Fenton, 'Hamely Tongue');

— 5. '*owl **resydenter** = a resident of many years' standing*' (1995 James Fenton, 'Hamely Tongue')

lady = leddy

— 1. '*deirly belowid **ledei**, the Cowntes of Wigtowne and Veiscowntes Montgomere of the Greit Aerds*' (1631 Letter from Hugh, Viscount Montgomerie of Airds, to Sara, Countess of Wigton);

— 2. *'whar baith maister an'servants, the **leddy** an' the weans, a'thegether'* (1841 Prose, William McComb, 'Letter I. To Mr John Hill, Belfast, 1st February, 1841', in: The Repealer Repulsed, Belfast, 1841);

— 3. *'While Kate toss'd her heid wi' the airs o' a **leddy**'* (1846 Poem, Samuel Turner, 'Song. The Laird o' Glencraigie');

— 4. *'An' seek a mair complaisant **leddy**'* (1846 Poem, Samuel Turner, 'Song. O, But the Lads are Ready');

— 5. *'The **leddy** her mither sae trusts in her brain'* (1901 Poem, George Savage Armstrong 'Miss Maud')

wumman

— 1. *'**wumman** = a woman; a wife (Tam's **wumman**)'* (1995 James Fenton, 'Hamely Tongue')

ladies *noun pl:* weemen, wimmenfowk

(ladies and gentlemen) = guid fowks, yin an aa

man = mon

— 1. *'That ne'er was in't before, **mon**'* (1804 Poem, James Orr, 'Donegore Hill');

— 2. *'I'll gie a goold guinea in yer hand, **mon**'* (1847 Prose, Charles Lever 'Sandy M'Grane');

— 1. *'Jist keep a 'calm sough,* [*Keep quiet] ma **mon**'* (1875 Prose, W. R. Ancketill, 'The Adventures of Mick Callighin, M.P. A Story of Home Rule');

— 3. *'My dochter Susanna's **man** warks on the Queen's Islan"* (1880 Prose, W. G. Lyttle 'The Meer's Proclamation');

— 4. *'A deed **mon's** banes A'll gather!'* (1901 Poem, George

Savage Armstrong 'The Haunted Hill');

— 5. *'a wee widda wumman an thà Dear knows scho haed it haird for her* **mon** *wus aye stocious'* (1995 Prose, Isobel McCulloch, 'Daein the Messages' in Ullans, Nummer 3);

— 6. *'Yin wee fella run intil an oul crabbit* **mon** *quha cursit him'* (1995 Prose, Thomas Finegan, 'Gie Us The Day' in Ullans, Nummer 3);

— 7. *'Gin onie* **mon** *shud mak tae fecht wi tha Pechts, tha mair the haed tha Käng's commaun ahint thaim'* (1997 Prose, Philip Robinson, 'Esther: Quaen o tha Ulidian Pechts');

— 8. *'man =* **mon** *(eg Thomson: "Gies her auld* **mon** *the youthful twine", Savage-Armstrong: "A deed* **mon**'*s banes A'll gather")'* (1997 Philip Robinson, 'Ulster-Scots Grammar: Pronouns and People');

— 9. *'A foartnicht efter Jackie saa tha* **mon** *'* (1998 Prose, Lee Reynolds, 'An Sae The Wur Gan' in Ullans, Nummer 6)

(oul) boy, oul lad

— 1. *'man = mon, boy, fella,* **oul lad**, *oul fella (eg Thomson: "Gies her auld mon the youthful twine", Savage-Armstrong: "A deed mon's banes A'll gather")'* (1997 Philip Robinson, 'Ulster-Scots Grammar: Pronouns and People')

fella

— 1. *'gien a lauch quhan the oul* **fella** *made tae gie him a cloot an missed'* (1995 Prose, Thomas Finegan, 'Gie Us The Day' in Ullans, Nummer 3);

— 2. *'man = mon, boy,* **fella** *'* (1997 Philip Robinson, 'Ulster-Scots Grammar: Pronouns and People')

chiel

— 1. *'And Virgil was an unco'* **chield***!'* (1721 Poem, James Arbuckle of Belfast 'To Allan Ramsay');

— 2. '*Some said he cou'dna play'd a reel / As true as mon-ie anither* **chiel**' (1793 Samuel Thomson, 'Elegy on R—— I——');

— 3. '*Soon up there comes a jockey* **chiel**' (1799 Poem, Samuel Thomson 'Simkin, Or A Bargain's A Bargain');

— 4. '*Whan* **chiels** *wha grudg'd to be sae tax'd*' (1804 Poem, James Orr, 'Donegore Hill');

— 5. '*He is a cruse auld canty* **chiel**' (1807 Poem, Francis Boyle 'Carnmoney Witches');

— 6. '*Nor let a careless* **chiel** *thee drive*' (1811 Poem, Francis Boyle 'The Author's address to his Old Gelding');

— 7. '*I've foun' thee out, my canty* **chiel**' (1812 Poem, David Colhoun 'An Epistle to the Crochan Bard');

— 8. '*An' twa sic charmin'* **chiels** *an' you*' (1813 Poem, Hugh Porter 'To the Prince Regent');

— 9. '**chiel** = *young fellow*' (1813 Hist., Hugh Porter 'Glossary'); — 10. '*How gladly at gloamin, my kind auld* **chiel**' (1819 Poem, Thomas Beggs 'The Auld Wife's Address to her Spinning Wheel');

— 11. '*Poor* **chiel** *because he is na white*' (1824 Poem, George Dugall 'To Mrs. W—, B—d, Wth a little Dog');

— 12. '*The* **chiel** *by whom this flight you'll gain*' (1828 Poem, Sarah Leech 'Epistle to the Editor of the Londonderry Journal');

— 13. '**chiel** = *a person*' (1828 Hist., Sarah Leech 'Glossary');

— 14. '*a* **chiel** *they ca'd lang Bab, wha stud ahint O'Connell, for a' the world like the Holywood maypoul wi a whin bush for a head on't*' (1841 Prose, William McComb, 'Letter I. To Mr John Hill, Belfast, 1st February, 1841', in: The Repealer Repulsed, Belfast, 1841');

— 15. *'How Fairies honest tiny **chiels**'* (1844 Poem, Robert Huddleston 'Doddery Willowaim');

— 16. *'Whilst Jean, besplash'd the **chiel** wi' brime'* (1846 Poem, Samuel Turner, 'Song. O, But the Lads are Ready');

— 17. *'By my certie, but the **chiels** were no far wrang'* (1847 Prose, Charles Lever 'Sandy M'Grane');

— 18. *'I'm thankfu' noo, my honest **chiel**'* (1863 Poem, James Munce, 'Epistle to Mr. William Hunter, Donaghadee');

— 19. *'This **chiel** wus ma Great-graunfaither'* (2001 Prose, John M'Gimpsey Johnston 'Another Ulster-Scots Writer' in Ullans, Nummer 8);

men = menfowk

— 1. *'In amang tha fowk — **menfowk**, weeminfowk an childer'* (1995 Prose, John Erskine, 'Tha Earn Wäng (The Eaglewing)' in Ullans, Nummer 3);

— 2. *'men = **menfowk**, boys, fellas'* (1997 Philip Robinson, 'Ulster-Scots Grammar: Pronouns and People');

— 3. *'tae tha mense o tha manlie wicht an tae tha einlie richts o **menfowk** an weimenfowk /* in the dignity and worth of the human person and in the equal rights of men and women' (1999 Translation, Ian James Parsley 'UN Declaration of Human Rights' in Ullans, Nummer 7)

midwife = howdie

— 1. *'Yet, when **howdies** ran'* (1849 Poem, Samuel Turner, 'Song. The Portrait');

— 2. *'**howdie** = a midwife'* (1995 James Fenton, 'Hamely Tongue')

mother = ma

— 1. *'The Das, an' Mas 't now sun'er'* (1844 Poem, Robert Huddleston 'The Lammas Fair');

— 2. *'whun their ma an' me sits doon wi' them'* (c.1880 Prose, W. G. Lyttle 'His Christmas Day');

— 3. *'Hi! ma! yer a wantin'* (1931 Hist., 'Gawney Kateys' (Bangor), 'Northern Whig: Letters on Ulster Vernacular');

— 4. *'Didn't ye hear his ma calling on him?'* (1951 Prose, Sam Hanna Bell 'December Bride');

— 5. *'I'm lukin for the reddin comb, Ma'* (1991 Prose, John A Oliver 'Girl, Name Forgotten');

— 6. *'mother = ma, mither'* (1997 Philip Robinson, 'Ulster-Scots Grammar: Pronouns and People');

— 7. *'ma Ma still gaut Davit Hugh tae gie hir a haun wae tha odd jab'* (2004 Prose, John M'Gimpsey Johnston 'Davit Hugh tae tha Rescue' in Ullans, Nummers 9 & 10)

mither

— 1. *'desire my Fether and my mether too'* (1767 Prose, James Murray, 'Letter to Rev. Baptist Boyd');

— 2. *'I doubt ye darna for ye'r mither'* (1753 Poem, 'M', 'The Gartan Courtship');

— 3. *'Roun' their sabbin mither flew'* (1793 Poem, Samuel Thomson 'Watty and Meg. A Tale');

— 4. *'Possess alike their mither's mind'* (1799 Poem, Samuel Thomson 'Davie and Sawney, An Ale-House Ecologue');

— 5. *'They pass by weans an' mithers'* (1804 Poem, James Orr, 'Donegore Hill');

— 6. '*Wad strunt or stray frae their auld* **mither**' (1811 Poem, Francis Boyle 'Dialogue between Bawty and Tray, Concerning the Dog-Tax');

— 7. '*To carry man or* **mither's** *sin*' (1813 Hist., Hugh Porter 'To the Reverend T. T. From his Pony');

— 8. '**mither** = *mother*' (1813 Hist., Hugh Porter 'Glossary');

— 9. '*Nae* **mither** *to wash thy feet, Jeanie*' (1819 Poem, Thomas Beggs 'The Wee Pauper Wean');

— 10. '*His* **mither's** *o' the terrier breed*' (1824 Poem, George Dugall 'To Mrs. W—, B—d, Wth a little Dog');

— 11. '*How to her* **mither** *Kate will bawl*' (1828 Poem, Sarah Leech 'Address to Bachelors');

— 12. '**mither** = *mother*' (1828 Hist., Sarah Leech 'Glossary');

— 13. '*I've seen thee by thy* **mither's** *knee*' (1832 Poem, Andrew McKenzie, 'Stanzas');

— 14. '*Ne'er fear, ne'er fear, auld* **mither** *Nature*' (1844 Poem, Robert Huddleston 'Epistle to Mr J Macoubrey');

— 15. '*Hoo he smoked wi' the* **mither**, *an' drank wi' the daddy*' (1846 Poem, Samuel Turner, 'Song. The Laird o' Glencraigie');

— 16. '*Wi' faither and* **mither**, *and a' we should part*' (1863 Poem, James Munce, 'My Wife an' the Weans');

— 17. '"*Diz yer* **mither** *know yer oot?*" *sez he*' (c.1880 Prose, W. G. Lyttle 'His Christmas Day');

— 18. '*How they honour't their* **mither** *sae weel on the Main*' (1900 Poem, Thomas Given, 'Cullybackey on the Main');

— 19. '*The leddy her* **mither** *sae trusts in her brain*' (1901 Poem, George Savage Armstrong 'Miss Maud');

— 20. '*Where's your auld maundering* **mither**?' (1907 Prose,

'Andrew James' (James Andrew Strahan), 'Nabob Castle. A Legend of Ulster' in Blackwoods Edinburgh Magazine, Feb. 1907);

— 21. '*mither* = *mother*' (1995 James Fenton, 'Hamely Tongue');

— 22. '*Noo an agen a wud hae stung maesel wae nettles an mae **mither** wud hae rubbed mae airms ere legs wae a dockan tae mak it better*' (1997 Charlie Reynolds, 'Ma Childhood Hame' in Ullans, Nummer 5);

— 23. '*English 'o'* → *Ulster-Scots i: brother = brither, mother = **mither**, other = ither, tither, son = sin*' (1997 Philip Robinson, 'Ulster-Scots Grammar: Spelling and Pronunciation');

— 24. '*mother = ma, **mither**'* (1997 Philip Robinson, 'Ulster-Scots Grammar: Pronouns and People');

— 25. '*aun haud bin boarn aun reart aut 'Tha Knowe' like ma **Mither** aun masel*' (2001 Prose, John M'Gimpsey Johnston 'Another Ulster-Scots Writer' in Ullans, Nummer 8)

minnie

— 1. '*Wha whan daddy an' **minny** were sleeping wad down*' (1799 Poem, Samuel Thomson 'Allan, Damon, Sylvander, and Edwin, A Pastoral');

— 2. '*The bairn alive and blithe the **minny**'* (1811 Poem, Francis Boyle 'The Preacher turned Doctor');

— 3. '*My deddy says he'll cut a stick / My **minnie's** aye me babbin' O*' (c.1880 Poem, Robert Huddleston 'The Canty Weaver')

hir

— 1. '*hir, also **hur** = her; the mother; the wife (It's **hir** ye hae tae tak tae)*' (1995 James Fenton, 'Hamely Tongue') *(derrog.)* oul doll

— 1. *'**the owl doll** = derog. the mother (It's hopeless: the **owl doll** watches hir lake a hak)'* (1995 James Fenton, 'Hamely Tongue')

mother-in-law = mither-in-laa

Mrs = Mïss

— Note that the respectful address for a 'lady of the house' (especially the landlord's, or minister's, wife) is Mistrèss. Mïss is an abbreviated form and does not imply a lack of marital status. It is also used to address female school teachers (whether married or single). It can be used by itself (Please Mïss, can A lea tha room?) or with surname (Mïss Boyd).

myself = masel

name = hannle

— 1. *'despite thair schoolin tae crie places wi mair "proper" an "polite" **hannles**, surely shews tha Scotch is still tha leid uv fowk's sowls'* (2001 Prose, Conal Gillespie, 'Towards an Index of Ulster-Scots place names in Donegal and the North West' in Ullans, Nummer 8)

name, naem

— 1. *'but what's in a **naim** as the pote says'* (1906 Newsp., John McFall (An Aul Han), Northern Constitution: 'An Aul' Han' on Current Topics (I)');

— 2. *'The gien tha schip tha **neám** Earn Wäng (Eagle Wing)'* (1995 Prose, John Erskine, 'Tha Earn Wäng (The Eaglewing)' in Ullans, Nummer 3)

(what is your name?) = whut dae the' caa ye?

— 1. *'a wee bit of a callant **they ca'** Jamie'* (1847 Prose, Charles Lever 'Sandy M'Grane');

— 2. *'what do they call you?* = i.e. what is your name?'* (1880 Hist., William Patterson 'Glossary of Antrim and Down');

— 3. *'what dae they call ye?'* (1943 Prose, Sam Hanna Bell 'Summer Loanen');

— 4. *'what do they call me? ... They call ye Joe Skillen'* (1951 Prose, Sam Hanna Bell 'December Bride');

— 5. *'ca, cal = call (usu. when referring to name: What dae ye ca him?' ... 'What dae they cal ye?* = What is your name?)'* (1995 James Fenton, 'Hamely Tongue');

— 6. *'whut dae the' caa ye ('what is your name?')'* (1997 Philip Robinson, 'Ulster-Scots Grammar: Sentence Construction and Word-Order (Syntax)')

(what is his name?) whut dae ye caa/cry him?

— 1. *'cry = occas. call (What dae ye **cry** him')'* (1995 James Fenton, 'Hamely Tongue')

(name after) = caa eftèr, caa for

— 1. *'Luk at his uncle Wully, that he's **ca'd fur**'* (1880 Prose, W. G. Lyttle 'Wee Wully');

— 2. *'ca for = name after (He's **ca'd for** the fether)'* (1995 James Fenton, 'Hamely Tongue')

(his name is) = the' caa (him)

— 1. *'a chiel **they ca'd** lang Bab, wha stud ahint O'Connell, for a' the world like the Holywood maypoul wi a whin bush* *for a head on't'* (1841 Prose, William McComb, 'Letter I. To Mr John Hill, Belfast, 1st February, 1841', in: The Repealer Repulsed, Belfast, 1841);

— 2. *'**They ca' me** Doddery Willowaim'* (1844 Poem, Robert Huddleston 'Doddery Willowaim');

— 3. *'**they ca' her** Maggie Patten'* (c.1880 Prose, W. G. Lyttle 'His Wedding');

— 4. *'But noo it's claiths **the' ca'** doilies'* (1915 Poem, Agnes Kerr, 'The 'Hochill Spriggin' Class');

— 5. *'what do they call me? ... **They call ye** Joe Skillen'* (1951 Prose, Sam Hanna Bell 'December Bride');

— 6 *'ae strang, thran an dour Brättan **the caa'd** Art haed aa thae wee kintras brung thegither'* (1997 Prose, Philip Robinson, 'Esther: Quaen o tha Ulidian Pechts')

he gets

— 1. *'**get** = to be called'* ... *'He **gets** the name of Toal,'* i.e. he is commonly called Toal. *'His name is Mulgrew, but he **gets** Timony'* (1880 Hist., William Patterson 'Glossary of Antrim and Down')

no-one = naebodie

— 1. *'**naebody** could gang out the night on ony account'* (1834 Prose, John Getty 'Old Nannie Boyd');

— 2. *'I'll gie yees leave to say, what **naebody** ever said'* (1877 Prose, Richard Sinclair Brooke 'The Glenswillians');

— 3. *'**naebody** comes near it but them that has business'* (1878 Newsp., John Weir (Bab M'Keen), Ballymena Observer: 'Bab on Things in General');

— 4. *'**naebuddy** cud spell richt wi' that pen'* (c.1880 Prose, W. G. Lyttle 'His Trip tae Glesco');

— 5. *'when she's carrie't into the hoose a mangl'd corp'*, **nae-body** *need blame me'* (1902 Prose, Archibald McIlroy 'The Night of the Churn');

— 6. *'naeboady, also naebdy = nobody'* (1995 James Fenton, 'Hamely Tongue');

— 7. *'but naeboady noo — naw yin'* (1997 Prose, James Fenton, 'The Flow' in Ullans, Nummer 5)

nane

— 1. *'And nene could blame him, I protest'* (1733 Poem, Anon., *'An elegy on Sawney Sinkler'*);

— 2. *'Nean but a Jacobite wad shrink'* (1734 Poem, William Starrat of Strabane: 'An elegy on Brice Blare');

— 3. *'Whar nane shall hear'* (1811 Poem, John Meharg, 'Epistle to Francis Boyle (I)');

— 4. *'Nane pass'd her door without their dues / But now she's gane'* (1828 Poem, Sarah Leech 'Elegy on a Loquacious Old Woman');

— 5. *'nane = none'* (1828 Hist., Sarah Leech 'Glossary');

— 6. *'I doubt there's nane in the town could gang wi' ye'* (1834 Prose, John Getty 'Old Nannie Boyd');

— 7. *'Nane hardship knows till ance tae tied it'* (1844 Poem, Robert Huddleston 'Doddery Willowaim')

nephew = nevey

— 1. *'Loving nevey, I was this last weik at Newrye'* (1627 Letter from James Hamilton of Bangor);

— 2. *'Daniel being the uncle and John being the nevoy'* (1654 entry in Mark Sweetnam (ed.) 'Minutes of the Antrim Ministers' Meeting, 1654-8');

— 3. *'when my* **nevoy** *has changed himsell, we'll hae a stoup o' whisky'* (1832 Prose, Samuel Ferguson 'The Wet Wooing');

— 4. *'***nephye** *= nephew'* (1995 James Fenton, 'Hamely Tongue')

one = bodie

— 1. *'The* **bodie** *wadna' own / Prince A'bert for a brither!'* (1849 Poem, Samuel Turner, 'Song. The Portrait');

— 2. *'a fulish auld Methody* **body***'* (1877 Prose, Richard Sinclair Brooke 'The Glenswillians');

— 3. *'It's nae work for a puir* **body** *like me that has tae gang oot tae luck for a days wages'* (1878 Newsp., John Weir (Bab M'Keen), Ballymena Observer: 'Bab M'Keen on Moral Reform');

— 4. *'The heid Bailyee's a verra ceevil* **buddy***'* (c.1880 Prose, W. G. Lyttle 'His Trip tae Glesco');

— 5. *'the grave-digger was a droll* **body***'* (1902 Prose, Archibald McIlroy 'Geordie Eslor's Fortitude');

— 6. *'Bit nae odds whar a* **body** *skoors'* (1903 Poem, Adam Lynn, 'The Twalt o' July');

— 7. *'an' as a* **boady** *wud, left them hame'* (1906 Newsp., John McFall (An Aul Han), Northern Constitution: 'An Aul' Han' on Current Topics (I)');

— 8. *'***body** *= person, pronounced '***buddy***'. Adopted in USA. "A* **buddy** *has never a minute to spare." "He's a quare sort of a* **buddy** *that."'* (1942 Hist., North Down 'Glossary');

— 9. *'What* **body** *did ye hear saying that?'* (1951 Prose, Sam Hanna Bell 'December Bride');

— 10. *'***boady** *= a body; a person (Ye couldnae meet a dacenter* **boady***)'* (1995 James Fenton, 'Hamely Tongue');

— 11. *'A whiles sa the odd **boady** stankin, but no' affen'* (1997 Prose, James Fenton, 'The Flow' in Ullans, Nummer 5);

— 12. *'the word **boadie** is also used in Ulster-Scots for English 'one', to mean 'a person': **A boadie** cannae dae ocht these days ('One can't do anything nowadays') … 'a person' – a **bodie**. This is used in compound words, wherever 'one' is used in English: somebodie (someone), iverybodie (everyone), naebodie (nobody), oniebodie (anybody). Obviously, these are also equivalent to English 'somebody', 'everybody', etc. 'One', used in the formal English sense as in: 'One always is embarrassed there' can be rendered in Ulster-Scots using a **boadie**: A **boadie** wud aye be affrontit thonner, although in speech it would more often occur as ye ('you'): Ye'd aye be affrontit thonner'* (1997 Philip Robinson, 'Ulster-Scots Grammar: Pronouns and People')

ye

— 1. *'**Ye'd** tak them a' for gentry'* (1793 Poem, Samuel Thomson 'The Simmer Fair');

— 2. *'**ye** gat lukit efter bot an thà crack wus guid'* (1995 Prose, Isobel McCulloch, 'Daein the Messages' in Ullans, Nummer 3);

— 3. *"One', used in the formal English sense as in: 'One always is embarrassed there' can be rendered in Ulster-Scots using a boadie: A boadie wud aye be affrontit thonner, although in speech it would more often occur as **ye** ('you'): **Ye'd** aye be affrontit thonner'* (1997 Philip Robinson, 'Ulster-Scots Grammar: Pronouns and People')

orphan = orfant

— 1. *'For it's all because I'm desolate **orphant** … I amm 80 yeares of aige and no more speedy att travalin and has none* *too seport me being a Dessolet* **orfant**' (1879 Prose, May Crommelin 'Orange Lily');

ourselves = worsels

— 1. *'wur sels = ourselves'* (1880 Hist., William Patterson 'Glossary of Antrim and Down');

— 2. *'wersels, also oorsels = ourselves; by ourselves'* (1995 James Fenton, 'Hamely Tongue');

— 3. *'The '-self' pronouns = sel (singular) and –sels (plural) endings in Ulster-Scots: ... For 'yourself', 'himself', etc, with the same meaning, the equivalents are as follows: yourself (yersel) = yer lane, herself (hersel) = her lane, itself (itsel) = its lane, ourselves (**worsels**)= wor lane, yourselves (yersels) = yer lane, themselves (thairsels) = thair lane'* (1997 Philip Robinson, 'Ulster-Scots Grammar: Pronouns and People');

— 4. *'Aye wae* **wersels** *whar they belang'* (1998 Poem, James Fenton, 'Davy' in Ullans, Nummer 6)

oorsels

— 1. *'They're jist like* **oorsels**' (c.1880 Prose, W. G. Lyttle 'His Trip tae Glesco');

— 2. *'**oorsels** = ourselves; by ourselves (more often wersels)'* (1995 James Fenton, 'Hamely Tongue')

parent *noun:* mither an/or faither

parents = mithers an faithers

(parents in general) oul yins

— 1. *'the owl yins = the parents (or grandparents)'* (1995 James Fenton, 'Hamely Tongue')

people = fowk, folks

— 1. *'lett many honest **folks** both sib and freind be witness'* (c. 1630 Letter from Isobell Haldane of Ballycarry);

— 2. *'and a Warld o' **Foke** going up and doon thro' yen another'* (1733 Prose, 'J.S.', *The North Country-Man's Description of Christ's Church, Dublin*);

— 3. *'as most **Foks** guess'* (1734 Poem, William Starrat of Strabane: 'An elegy on Brice Blare');

— 4. *'young **Foke** in Ereland are aw but a Pack of Couards'* (1767 Prose, James Murray, 'Letter to Rev. Baptist Boyd');

— 5. *'With **fo'k** o' a' kinds, callings, trades'* (1793 Poem, Samuel Thomson 'The Simmer Fair');

— 6. *'Has set together by the ears, / Douce **fok** at strife'* (1793 Poem, Samuel Thomson 'On the Death of a Taylor');

— 7. *'an' saw the crowds o' **fowk** rinnin' this road an' the tither road'* (c.1880 Prose, W. G. Lyttle 'His Christmas Day');

— 8. *'It soon's like a wheen o' **fow'k** jeerin''* (1901 Poem, George Savage Armstrong 'Auld Sandy amang the Megpies');

— 9. *'The **fowk** tell me that for aw it's a new thing wae us, its a gie ould game aw the same'* (1904 Newsp., Anon. (Duffer Geordie), County Down Spectator: 'A Crack about Gowf');

— 10. *'**foak** nos ye sae weel an' can Mister ye up an' doon an' mak ye think yer sumboady'* (1906 Newsp., John McFall (An Aul Han), Northern Constitution: 'An Aul' Han' on Current Topics (I)');

— 11. '*Some **fouk** will maybe say I'm daft*' (1915 Poem, Agnes Kerr, 'To "Young Nummer"');

— 12. '*The oul **foaks** yooce tae say*' (*circa* 1970 Hist., Robert J. Gregg (ed.), 'Haaleve');

— 13. '*some **fowks** is dead iggerent*' (1995 Prose, Isobel McCulloch, 'Daein the Messages' in Ullans, Nummer 3);

— 14. '*The **fowks** dannert aff up the raa*' (1995 Prose, Thomas Finegan, 'Gie Us The Day' in Ullans, Nummer 3);

— 15. '*Thar wus yin hunner an fowrtie **fowk** abuird tha schip*' (1995 Prose, John Erskine, 'Tha Earn Wäng (The Eaglewing)' in Ullans, Nummer 3);

— 16. '*A wheen o leids an **fowks** fae aa airts gien tribute til him*' (1997 Prose, Philip Robinson, 'Esther: Quaen o tha Ulidian Pechts');

— 17. '*When 'people in general' is meant, the English word 'people' is not used, but rather folks or **fowks**. Sometimes, **fowk** or **fowks** is used (rather than ain yins) to imply that the people are related: 'Wud thon be yin o his **fowks** that's alang wi him?' ('Is that one of his relations with him?')*' (1997 Philip Robinson, 'Ulster-Scots Grammar: Pronouns and People');

— 18. '*Dizens o **fowk** ahin us forbye*' (1999 Poem, Mark Thompson 'A Bricht February Mournin' in Ullans, Nummer 7)

yins

— 1. '***yins** = people; the members of a group or family (**Belfast yins** people from Belfast; **iz yins** we, us; **Mairtins' yins** the Martin family*' (1995 James Fenton, 'Hamely Tongue');

— 2. '*A lock o **yins** cut thonner whun A wuz a weetchil*' (1997 Prose, James Fenton, 'The Flow' in Ullans, Nummer 5)

bodies

— 1. *'For carrier **bodies** aye do buy'* (1811 Poem, Francis Boyle 'John Starve-the-Poor');

— 2. *'For they carena what puir **bodies** betide'* (1819 Poem, Thomas Beggs 'The Auld Wife's Address to her Spinning Wheel');

— 3. *'We puir cottar **bodies** a haikin'* (1846 Poem, Samuel Turner, 'Song. Address to the House of Lords');

— 4. *'Ye puir cottar **bodies** ahin' wi' your rent'* (1863 Poem, James Munce, 'John Anderson's Dead!');

— 5. *'the rale Macdonnell's o' Dunluce, not the fiddler **bodies** o' Glenarm'* (1907 Prose, 'Andrew James' (James Andrew Strahan), 'Nabob Castle. A Legend of Ulster' in Blackwoods Edinburgh Magazine, Feb. 1907);

— 6. *'Whar **boadies** pech an owl soos snore'* (1998 Poem, James Fenton, 'Thonner an Thon' in Ullans, Nummer 6)

crayturs

— 1. *'whan I saw the loupin' an flingin' o' the **creaters** he had set a dancin'* (1841 Prose, William McComb, 'Letter II. To Mr John Hill, Belfast, 2nd February, 1841', in: The Repealer Repulsed, Belfast, 1841);

— 2. *'an' gie five bob a week tae deservin' aul' **crathurs**'* (1906 Newsp., John McFall (An Aul Han), Northern Constitution: 'An Aul' Han' on Current Topics (II)')

(most people) = maist yins, maist fowk

(you people, you lot) = yous yins

— 1. *'**yous/yuz yins** = you people, you lot'* (1995 James Fenton, 'Hamely Tongue')

person = bein

— 1. *'For never was there yet to me / A better **bein**"* (1813 Hist., Hugh Porter 'To the Reverend T. T. From his Pony');

— 2. *'**bein**' = (being), any wretched or unfortunate person'* (1880 Hist., William Patterson Glossary of Antrim and Down');

— 3. *'**bein** = being; a person (used only in pity or contempt: Ye micht 'a gien the **bein** toorthy coppers. Thon **bein** blowin aboot whut he haes an whut he'll dae!)'* (1995 James Fenton, 'Hamely Tongue')

bodie

— 1. *'the haill figer o' the **body**, for a' the warld like a clockin hen upon a bauk'* (1841 Prose, William McComb, 'Letter II. To Mr John Hill, Belfast, 2nd February, 1841', in: The Repealer Repulsed, Belfast, 1841);

— 2. *'The **bodie** wadna' own / Prince A'bert for a brither!'* (1849 Poem, Samuel Turner, 'Song. The Portrait');

— 3. *'a fulish auld Methody **body**'* (1877 Prose, Richard Sinclair Brooke 'The Glenswillians');

— 4. *'It's nae work for a puir **body** like me that has tae gang oot tae luck for a days wages'* (1878 Newsp., John Weir (Bab M'Keen), Ballymena Observer: 'Bab M'Keen on Moral Reform');

— 5. *'"Don't ye see the quality? A **body** can't hear theirselves speak with the tongue of ye." ... Tom's mother, being "a proud **body**,"'* (1879 Prose, May Crommelin 'Orange Lily');

— 6. *'The heid Bailyee's a verra ceevil **buddy**'* (c.1880 Prose, W. G. Lyttle 'His Trip tae Glesco');

— 7. *'the grave-digger was a droll **body**'* (1902 Prose, Archibald McIlroy 'Geordie Eslor's Fortitude');

— 8. '*Bit nae odds whar a* **body** *skoors*' (1903 Poem, Adam Lynn, 'The Twalt o' July');

— 9. '*an' as a* **boady** *wud, left them hame*' (1906 Newsp., John McFall (An Aul Han), Northern Constitution: 'An Aul' Han' on Current Topics (I)');

— 10. '*a wee bit* **body**, *not much bigger nor a crowle*' (1907 Prose, 'Andrew James' (James Andrew Strahan), 'The Last O'Hara' in Blackwoods Edinburgh Magazine, May 1907);

— 11. '**body** = *person, pronounced* '**buddy**'. *Adopted in USA.* "*A* **buddy** *has never a minute to spare.*" "*He's a quare sort of a* **buddy** *that.*"' (1942 Hist., North Down 'Glossary');

— 12. '*What* **body** *did ye hear saying that?*' (1951 Prose, Sam Hanna Bell 'December Bride');

— 13. '**boady** = *a body; a person (Ye couldnae meet a dacenter* **boady**)' (1995 James Fenton, 'Hamely Tongue');

— 14. '*A whiles sa the odd* **boady** *stankin, but no' affen*' (1997 Prose, James Fenton, 'The Flow' in Ullans, Nummer 5);

— 15. '*the word* **boadie** *is also used in Ulster-Scots for English* '*one*', *to mean* '*a person*': *A* **boadie** *cannae dae ocht these days* ('*One can't do anything nowadays*') ... '*a person*' – *a* **bodie**. *This is used in compound words, wherever* '*one*' *is used in English: somebodie (someone), iverybodie (everyone), naebodie (nobody), oniebodie (anybody). Obviously, these are also equivalent to English* '*somebody*', '*everybody*', *etc.* '*One*', *used in the formal English sense as in:* '*One always is embarrassed there*' *can be rendered in Ulster-Scots using a* **boadie**: *A* **boadie** *wud aye be affrontit thonner, although in speech it would more often occur as ye* ('*you*'): *Ye'd aye be affrontit thonner*' (1997 Philip Robinson, 'Ulster-Scots Grammar: Pronouns and People');

— 16. '*Mair lake The Waltons nor a* **boadie** *cud tak*' (1999

Poem, Philip Robinson 'Alba and Albania' in Ullans, Nummer 7)

boy

christen

— 1. *'Whan **Cristain** folk hing ower th' ingle* [rhymed with *'trimmel'*]*'* (1844 Poem, Robert Huddleston 'Doddery Willowaim');

— 2. *'**Christen** = a human being'* ... *'The poor dog was lyin' on a **Christen's** bed'* (1880 Hist., William Patterson 'Glossary of Antrim and Down');

— 3. *'**christen** = a human being as opposed to a brute beast, not comparing a brute beast to a **christen**'* (1942 Hist., North Down 'Glossary')

craytur

— 1. *'da-dilly = a helpless, useless person'* ... *'She's a sore da-dilly of a **crayture**'* (1880 Hist., William Patterson 'Glossary of Antrim and Down');

— 2. *'the cross-lukin', lanky, flet-fitted **crayter!**'* (c.1880 Prose, W. G. Lyttle 'His Courtships');

— 3. *'tae hear the **cratur** remark tae Jock'* (1902 Prose, Archibald McIlroy 'The Death of Tovey Nor'itt');

— 4. *'Af coorse there's muny a puir **crettur** haes tae beg'* (1906 Newsp., John McFall (An Aul Han), Northern Constitution: 'Bushside Letter (II)');

— 5. *'But some fine dashin' **crater**'* (1915 Poem, Agnes Kerr, 'A Reply to "Young Nummer"');

— 6. *'Ye drunken **crature**'* (1951 Prose, Sam Hanna Bell 'December Bride');

— 7. *'**craythur**, **critter** = any living thing'* (1994 Hist., Anon., 'Animals and Insects' in 'Ullans', Nummer 2);

— 8. '*cretter (-tth-),also **craiter** = a person in sad or miserable circumstances (Between him an the wains an the twa owl yins she haes a time o it, the **cretter**); a foolish or ridiculous person (A **cretter** lake hir settin hir kep for a boady lake him!)[creature]*' (1995 James Fenton, 'Hamely Tongue')

sinner

— 1. '*sinner** = a person (naw a livin **sinner** tae be seen)*' (1995 James Fenton, 'Hamely Tongue')

sowl

— 1. '*Mony's the poor **sowl** wud rether be luckin' at the roots o' daisies nor go intae a poorhoose*' (1906 Newsp., John McFall (An Aul Han), Northern Constitution: 'Bushside Letter (II)');

— 2. '*Not an ither **sowl** got on the flure she wus spaltering that much*' (1998 Poem, Charlie Gillen, 'The Dance' in Ullans, Nummer 6);

— 3. '*Naw a **sowl** dae Ah ivir see*' (2001 Poem, Charlie Reynolds 'Ustae' in Ullans, Nummer 8);

playboy = keo (boy)

— 1. '*keogh boy** = play boy: mischievous person*' (1942 Hist., North Down 'Glossary');

— 2. '*kyeo** or **keogh** = an affected person, a show-off*' (1973 Hist., Ards and North Down 'Glossary');

— 3. '*keo** = a spiv; one whose attitudes, views, etc. are far out of keeping with his circumstances or ability*' (1995 James Fenton, 'Hamely Tongue')

relation, relations = freens (in general, 'connection')

— 1. *'friend, freen = a relative'* ... *'They're far out **friends** of mine, but I niver seen them"* (1880 Hist., William Patterson 'Glossary of Antrim and Down');

— 2. *'if he wur ony **frien** tae Rabert Bailyee o' Ballyviggis Mill'* (c.1880 Prose, W. G. Lyttle 'His Trip tae Glesco');

— 3. *'friend = often used instead of relative or cousin'* (1942 Hist., North Down 'Glossary');

— 4. *'friend = a relative'* (1987 Hist., Tom Porter and Charles Cunningham, 'Mourne Dialect' in '12 Miles of Mourne – Journal of the Mourne Local Studies Group', Vol. 1);

— 5. *'freen = friend; relative'* (1995 James Fenton, 'Hamely Tongue');

— 6. *'freen or 'friend' usually means a relation: Him an tha wee fella fae Carrick wud be **freens**. ('The boy from Carrick and he are related'). Far-oot freens or cousins can mean any sort of blood relation: Him an tha wee fella fae Carrick wud be soart o cousins'* (1997 Philip Robinson, 'Ulster-Scots Grammar: Pronouns and People')

connection

— 1. *'**connection** = the whole body of relatives (There's a powerfa big **connection** o the Tamsins)'* (1995 James Fenton, 'Hamely Tongue')

sib

— 1. *'**sib** = related by blood'* (1880 Hist., William Patterson 'Glossary of Antrim and Down');

— 2. *'**sib** = related. Too **sib** is too nearly related'* (1892 Hist., Mid-Antrim 'Glossary')

ain fowk, yin o his ain

— 1. '*Sometimes, fowk or fowks is used (rather than **ain yins**) to imply that the people are related: 'Wud thon be yin o his fowks that's alang wi him?' ('Is that one of his relations with him?') … While a person's **ain yins** would be related, their ain fowks or ain fowk are simply 'friends and neighbours'.* (1997 Philip Robinson, 'Ulster-Scots Grammar: Pronouns and People'), yin o his (fowk) — 1. '*Sometimes, fowk or fowks is used (rather than ain yins) to imply that the people are related: 'Wud thon be **yin o his fowks** that's alang wi him?' ('Is that one of his relations with him?')*' (1997 Philip Robinson, 'Ulster-Scots Grammar: Pronouns and People')

(a relative of mine) = a freen o ma ain

— 1. '*a freen o mae ain* = *a relative of mine*' (1995 James Fenton, 'Hamely Tongue')

(all related to each other) = aa freens throu ither

— 1. '*'a' freens through ither* = *(of a large connection) all related in various ways to each other*' (1995 James Fenton, 'Hamely Tongue')

(claim relationship with) = coont freens wi

— 1. '*coont freens wae* = *claim relationship with*' (1995 James Fenton, 'Hamely Tongue')

(distant relation) = far-oot freen, cousin

— 1. '*far out* = *distant, applied to relationship or kinship. "We're **far out** freens ye know." (distant cousins)*' (1942 Hist., North Down 'Glossary');

— 2. *'far-oot freen = a distant relation'* (1995 James Fenton, 'Hamely Tongue');

— 3. *'freen or 'friend' usually means a relation ...* **Far-oot freens** *or* **cousins** *can mean any sort of blood relation: Him an tha wee fella fae Carrick wud be soart o* **cousins***'* (1997 Philip Robinson, 'Ulster-Scots Grammar: Pronouns and People')

(no relation of) = nae freen o, stranger

— 1. *'stranger = an outsider; one outside the family connection (He'll surely naw gie the job tae a* **stranger***. Also fig. as in: Sowl an you'r a bit o a* **stranger***! to one who has not called recently)'* (1995 James Fenton, 'Hamely Tongue')

schoolchild, pupil, scholar *noun:* scholard

— 1. *'altho' he wuz on the Binch he wuz nae* **skolerd***'* (c.1880 Prose, W. G. Lyttle 'M'Quillan Abroad')

second (family) name = surnaem

sister = sistèr

someone = somebodie

son = sin

— 1. *'Dear Thaunie! musick's gentle* **sinn***'* (1804 Poem, James Orr, 'Epistle to N—— P——, Oldmill');

— 2. *'**sin** = a son'* (1813 Hist., Hugh Porter 'Glossary');

— 3. '*sin* = *son*' (1824 Hist., George Dugall 'Northern Cottage Glossary');

— 4. '*His wee* **sin** *wus oot amang the hether neer by, when oot pops a petridge*' (1906 Newsp., John McFall (An Aul Han), Northern Constitution: 'Bushside Letter (II)');

— 5. '*The owner's* **sän** — *Ah heerd a whäd*' (*circa* 1970 Hist., Robert J. Gregg (ed.), 'The Källin o the Soo');

— 6. '*sin* = *son*' (1995 James Fenton, 'Hamely Tongue');

— 7. '*Richt thar, in Duncunning, the wur this Pecht leeved at the caa'd Mordie, a* **sinn** *o Drustie*' (1997 Prose, Philip Robinson, 'Esther: Quaen o tha Ulidian Pechts');

— 8. '*English 'o'* → *Ulster-Scots i: brother* = *brither, mother* = *mither, other* = *ither, tither, son* = **sin**' (1997 Philip Robinson, 'Ulster-Scots Grammar: Spelling and Pronunciation');

— 9. '*son* = **sin**' (1997 Philip Robinson, 'Ulster-Scots Grammar: Pronouns and People');

— 10. '*A towl ye,* **sin**' (1998 Poem, James Fenton, 'Thonner an Thon' in Ullans, Nummer 6);

— 11. '*A dinnae ken hes first name bit he haud twa* **sins**, *John aun Rabert*' (2001 Prose, John M'Gimpsey Johnston 'Another Ulster-Scots Writer' in Ullans, Nummer 8)

son-in-law *noun:* sin-in-laa

— 1. '*sin-in-la* = *son-in-law*' (1995 James Fenton, 'Hamely Tongue')

teenage boy / girl = lump o a lad / lass

teenager *noun:* lump o a (boy / girl)

— 1. *'Noo, it's a different metther in **lumps o' chaps'*** (1878 Newsp., John Weir (Bab M'Keen), Ballymena Observer: 'Bab M'Keen on Coortin");

— 2. *'and a **lump of a** girl I was then'* (1879 Prose, May Crommelin 'Orange Lily');

— 3. *'The average height of the pygmy man is four feet nine inches, of the pygmy woman four feet six inches, and although we cannot measure fairies, I think the Ulster expression, "a **lump of a boy or girl**," would correspond with this height … The fairies are supposed to be small—"wee folk"—but we must not think of them as tiny creatures who could hide in a foxglove. To use a North of Ireland phrase, they are the size of a "**lump of a boy or girl!**" and have been often mistaken for ordinary men or women'* (1906 Elizabeth Andrews, 'Ulster Fairies, Danes and Pechts' in Antiquary, August, Vol.42);

— 4. *'**lump of a boy** = a boy beginning his teens. "I mine (mind) when I was a **lump of a** boy, I used to do it"'* (1942 Hist., North Down 'Glossary');

— 5. *'**lump o a** weefla = a growing boy'* (1995 James Fenton, 'Hamely Tongue')

themselves = thairsels

— 1. *"'Don't ye see the quality? A body can't hear **theirselves** speak with the tongue of ye.'"* (1879 Prose, May Crommelin 'Orange Lily');

— 2. *'**theirsels** = themselves'* (1880 Hist., William Patterson 'Glossary of Antrim and Down');

— 3. *'tae pit things in a guid licht **thersels**'* (1906 Newsp.,

John McFall (An Aul Han), Northern Constitution: 'An Aul' Han' on Current Topics (II)');

— 4. '*But, they maak **theirsels** clean*' (*circa* 1970 Hist., Robert J. Gregg (ed.), 'Muttonburrn Stream');

— 5. '*Twa o the crew gien **thairsels** a heft up*' (1995 Prose, Thomas Finegan, 'Gie Us The Day' in Ullans, Nummer 3);

— 6. '*themsels, also **theirsels** = themselves; by themselves*' (1995 James Fenton, 'Hamely Tongue');

— 7. '*the wudnae waak the lenth o **theirsels**' (1997 Prose, Isobel McCulloch, 'A Reekin Buck-Goat, a Ringle E'ed Doag and a Wheepin Whitrick' in Ullans, Nummer 5);

— 8. '*The '-self' pronouns = sel (singular) and –sels (plural) endings in Ulster-Scots: "He gien hissel a dunt" ('He gave himself a nudge'), "The' seen **thairsels** oot" ('They saw themselves out'). Note that both of these forms differ from Standard English in their base (his / thair) as well as in their second element (sel / sels), although the himsel and thaimsels forms are, of course, also used ... himself (hissel) = his lane*' (1997 Philip Robinson, 'Ulster-Scots Grammar: Pronouns and People')

thaimsels

— 1. '*Some think **themsel's** ayont your reach*' (1753 Poem, William Starrat, 'To the Criticks'); — 2. '*That, "first o' a', folk sud **themsel's**' (1804 Poem, James Orr, 'Donegore Hill');

— 3. '*themsels, also theirsels = themselves; by themselves*' (1995 James Fenton, 'Hamely Tongue');

— 4. '*The '-self' pronouns = sel (singular) and –sels (plural) endings in Ulster-Scots: "He gien hissel a dunt" ('He gave himself a nudge'), "The' seen thairsels oot" ('They saw themselves out'). Note that both of these forms differ from*

*Standard English in their base (his / thair) as well as in their second element (sel / sels), although the himsel and **thaimsels** forms are, of course, also used ... himself (hissel) = his lane'* (1997 Philip Robinson, 'Ulster-Scots Grammar: Pronouns and People')

twin = twun

— 1. *'Paddy M'Quillan's wife haes **twuns**'* (c.1880 Prose, W. G. Lyttle 'His Twins');

— 2. *'twin [twɪn] (Mid-Ulster English) = **twun** [twʌn] (Ulster-Scots)'* (1959 Hist., Robert J. Gregg, Ulster-Scots 'markers' in 'The Ulster Dialect Survey');

— 3. *'**twun** = twin'* (1995 James Fenton, 'Hamely Tongue')

wife = guidwife

— 1. *'**guidewife** = mistress'* (1824 Hist., George Dugall 'Northern Cottage Glossary');

— 2. *'How this guidman, and that **guidwife**'* (1844 Poem, Robert Huddleston 'Doddery Willowaim');

— 3. *'Whene'er the **guid wife's** brought to bed'* (1875 Poem, David Herbison, 'Tea');

— 4. *'the **goodwife** was preparing the pig's pottage'* (1879 Prose, May Crommelin 'Orange Lily');

— 5. *'tha **guidwifes** o tha thanes o Scotlann an Ullistèr'* (1997 Prose, Philip Robinson, 'Esther: Quaen o tha Ulidian Pechts');

— 6. *'wife = **guidwife** (eg Boyle: "Whan a **guidwife** cries out and squeals") (now more commonly – hir, tha wife, hïs wumman)'* (1997 Philip Robinson, 'Ulster-Scots Grammar: Pronouns and People')

guid-wumman

— 1. *'**guid-woman** = the wife'* (1942 Hist., North Down 'Glossary')

wife

hir

— 1. *'That me and **hir**, in oor ain wye'* (1902 Poem, Adam Lynn, 'On the Hill');

— 2. *'**hir** = her; the mother; the wife (It's **hir** ye hae tae tak tae)'* (1995 James Fenton, 'Hamely Tongue');

— 3. *'wife = guidwife … (now more commonly – **hir**, tha wife, hïs wumman)'* (1997 Philip Robinson, 'Ulster-Scots Grammar: Pronouns and People')

mistress

— 1. *'**Mistress** me nae **mistresses**!'* (1832 Prose, Samuel Ferguson 'The Wet Wooing');

— 2. *'Take another wee drop of tea, **Mistress** Majempsy'* (1879 Prose, May Crommelin 'Orange Lily');

— 3. *'**mistress** = wife'* … *'His **mistress** opened the door to me,'* i.e. his wife' (1880 Hist., William Patterson 'Glossary of Antrim and Down');

— 4. *'**mistress** = the boss's (esp. farmer's) wife as (once) addressed by the workers'* (1995 James Fenton, 'Hamely Tongue')

wumman

— 1. *'Its gran' thing tae hae a gid heedpeace a bit better than the **wumman's** son'* (1906 Newsp., John McFall (An Aul Han), North Antrim Standard: 'An Aul' Han's Letter');

— 2. *'**wumman** = a woman; a wife (Tam's **wumman**)'* (1995 James Fenton, 'Hamely Tongue');

— 3. *'wife = guidwife (now more commonly – hir, tha wife, hïs* **wumman***)'* (1997 Philip Robinson, 'Ulster-Scots Grammar: Pronouns and People')

woman = wumman

— [1. *'What's the young* **wuman's** *name?'* (c.1880 Prose, W. G. Lyttle 'His Wedding');

— 2. *'Its gran' thing tae hae a gid heedpeace a bit better than the* **wumman's** *son'* (1906 Newsp., John McFall (An Aul Han), North Antrim Standard: 'An Aul' Han's Letter');

— 3. *'***wumman** *= a woman; a wife (Tam's* **wumman***)'* (1995 James Fenton, 'Hamely Tongue');

— 4. *'Tha Quaen wus yin guid-lukkin* **wumman***'* (1997 Prose, Philip Robinson, 'Esther: Quaen o tha Ulidian Pechts');

— 5. *'woman =* **wumman***'* (1997 Philip Robinson, 'Ulster-Scots Grammar: Pronouns and People')

wife

— 1. *'Till ower he's knocked some aul'* **wife's** *stall'* (1844 Poem, Robert Huddleston 'The Lammas Fair')

women = weemin

— 1. *'your honour wadna gang to frichten twa lane* **weemen***'* (1832 Prose, Samuel Ferguson 'The Wet Wooing');

— 2. *'what the oul'* **weemen** *oil their spindles wi''* (1878 Newsp., John Weir (Bab M'Keen), Ballymena Observer: 'Bab M'Keen on Oilogy');

— 3. *'When ye see* **weemen** *kissin' yin anither'* (1902 Prose, Archibald McIlroy 'The Minister's Call');

— 4. '*An' as ye glower, ponder ower / Like* **weemen** *guid, an' men* (1903 Poem, Adam Lynn, 'Glenariff Glen');

— 5. *'men wur mair intelligent nor the* **weemen***'* (1906 Newsp., John McFall (An Aul Han), Northern Constitution: 'An Aul' Han' on Current Topics (II)');

— 6. *'aye gentle and gracious wi'* **weemen***'* (1911 Prose, 'Andrew James' (James Andrew Strahan), 'Ninety-Eight and Sixty Years Later');

— 7. *'Ye're welcome tae yer cockleshells an' missionary* **weemin***'* (1943 Prose, Sam Hanna Bell 'This We Shall Maintain');

— 8. *'Noo the* **weemen** *o 'Caary'* (*circa* 1970 Hist., Robert J. Gregg (ed.), 'Muttonburrn Stream');

— 9. *'yous are a pair o sonsie big* **weemen** *noo'* (1991 Prose, John A Oliver 'Girl, Name Forgotten');

— 10. *'***weemen** *= women'* (1995 James Fenton, 'Hamely Tongue');

— 11. *'wus at it wus* **weemin** *the aye haed croont for quaens'* (1997 Prose, Philip Robinson, 'Esther: Quaen o tha Ulidian Pechts');

— 12. *'women =* **weemin** *(fowk)'* (1997 Philip Robinson, 'Ulster-Scots Grammar: Pronouns and People');

— 13. *"Men an* **weemen** *nooadays,' qu' he'* (1998 Poem, James Fenton, 'Him an Hir' in Ullans, Nummer 6);

— 14. *'For a couple maks you bouler for chattin tae the* **weemin***'* (1998 Poem, Charlie Gillen, 'The Dance' in Ullans, Nummer 6);

— 15. *'***Weemin** *girnin owre deid guidman, / Wrangs aye in mynn'* (1999 Poem, Philip Robinson 'Alba and Albania' in Ullans, Nummer 7)

weemen-bodies

— 1. '*the **women-bodies** is someway sae accustomed wi'
keekin' in corners, an' sweepin', an' washin', and darnin',
an' sic like, that naethin can miss their een*' (1841 Prose,
William McComb, 'Letter I. To Mr John Hill, Belfast, 1st
February, 1841', in: The Repealer Repulsed, Belfast, 1841)

weemenfowk

— 1. '*nice an' tenner fur the **weemin fowk**'* (c.1880 Prose, W.
G. Lyttle 'His Tay Perty');

— 2. '*In amang tha fowk — menfowk, **weeminfowk** an
childer*' (1995 Prose, John Erskine, 'Tha Earn Wäng (The
Eaglewing)' in Ullans, Nummer 3);

— 3. '*Quhiles, ben tha Käng's castle, Quaen Nestor wus giein a
boord for tha **weemin-fowk**'* (1997 Prose, Philip Robinson,
'Esther: Quaen o tha Ulidian Pechts');

— 4. '*tae tha mense o tha manlie wicht an tae tha einlie richts o
menfowk an **weimenfowk** /* in the dignity and worth of the
human person and in the equal rights of men and women '
(1999 Translation, Ian James Parsley 'UN Declaration of
Human Rights' in Ullans, Nummer 7)

yourself = yersel

— 1. '*mere money in ane Year for teechin a Letin Skulle, nor
ye **yer sell** wad get for Three Years Preeching ... my Love
to **your sel** Reverend Baptist Boyd*' (1767 Prose, James
Murray, 'Letter to Rev. Baptist Boyd');

— 2. '*To every creature but **yersel**'* (1799 Poem, Samuel
Thomson 'Allan, Damon, Sylvander, and Edwin, A
Pastoral');

— 3. '*Ye'll answer this **yersel** in short*' (1799 Poem, Samuel

Thomson 'Allan, Damon, Sylvander, and Edwin, A Pastoral');

— 4. '*keep **yourself** out o' drink and fechtin*'' (1832 Prose, Samuel Ferguson 'The Wet Wooing');

— 5. '*provided ye conducted **yeresel** discreetly*' (1834 Prose, John Getty 'Old Nannie Boyd');

— 6. '*Went wed ane like **yeirsel** (gray hair)*' (1844 Poem, Robert Huddleston 'Doddery Willowaim');

— 7. '*Ye may go there by **yersel***' (1847 Prose, Charles Lever 'Sandy M'Grane');

— 8. '*jist whativer road yer gaun **yersel**''* (c.1880 Prose, W. G. Lyttle 'His Christmas Day');

— 9. '*bit noo it's gang **yersel**' or want*' (1904 Newsp., Anon. (Duffer Geordie), County Down Spectator: 'A Crack about Gowf');

— 10. '*af coorse ye niver think o' blamin' **yersel**''* (1906 Newsp., John McFall (An Aul Han), Northern Constitution: 'Bushside Letter (II)');

— 11. '*Maun ye always be gettin' **yersel**' sick or hurt*' (1943 Prose, Sam Hanna Bell 'This We Shall Maintain');

— 12. '*Ye can see for **yersel** that's she's dwammie*' (1991 Prose, John A Oliver 'Girl, Name Forgotten');

— 13. '*The cheeky wee skitter gaes "Awa hame **yersel**"*' (1995 Prose, Thomas Finegan, 'Gie Us The Day' in Ullans, Nummer 3);

— 14. '***yersel*** = *yourself; by yourself (It's heartless wae naeboady but **yersel**)*' (1995 James Fenton, 'Hamely Tongue');

— 15. '*In a wat flow — whiles mair lake a gullion — ye'd gyely aye hae tae cut a guid fit-ga alang the bink-bottom, tae dra aff lowse watther an gie **yersel** fittin*' (1997 Prose, James

Fenton, 'The Flow' in Ullans, Nummer 5);

— 16. *'The '-self' pronouns = sel (singular) and –sels (plural) endings in Ulster-Scots: ... For 'yourself', 'himself', etc, with the same meaning, the equivalents are as follows: yourself (**yersel**) = yer lane, herself (hersel) = her lane, itself (itsel) = its lane, ourselves (worsels)= wor lane, yourselves (yersels) = yer lane, themselves (thairsels) = thair lane'* (1997 Philip Robinson, 'Ulster-Scots Grammar: Pronouns and People');

yourselves = yersels

— 1. *'An' trust **yoursels** wi' no man'* (1793 Poem, Samuel Thomson 'The Country Dance');

— 2. *'Ye needna stint **yersel's'*** (1902 Prose, Archibald McIlroy 'Dolly M'Coit');

— 3. *'The '-self' pronouns = sel (singular) and –sels (plural) endings in Ulster-Scots: ... For 'yourself', 'himself', etc, with the same meaning, the equivalents are as follows: yourself (yersel) = yer lane, herself (hersel) = her lane, itself (itsel) = its lane, ourselves (worsels)= wor lane, yourselves (**yersels**) = yer lane, themselves (thairsels) = thair lane'* (1997 Philip Robinson, 'Ulster-Scots Grammar: Pronouns and People')

youth = callen

— 1. *'And laid the **callan** down'* (1793 Poem, Samuel Thomson 'The Simmer Fair');

— 2. *'But – P——-- my **callan** have-a-care'* (1793 Poem, Samuel Thomson 'Epistle to Mr. R——, Belfast ... To the Same');

— 3. *'The tricky **callan**, then, to keep / Frae laughin scarcely*

fit' (1799 Poem, Samuel Thomson 'Simkin, Or A Bargain's
A Bargain');

— 4. *'Thy brow-beat **callens'*** (1804 Poem, James Orr, 'To
the Potatoe');

— 5. *'My canty **callan'*** (1811 Poem, Francis Boyle 'The
Answer');

— 6. *'**callan** = boy'* (1813 Hist., Hugh Porter 'Glossary');

— 7. *'The **callan** snug, he's i' the snare'* (1844 Poem, Robert
Huddleston 'Doddery Willowaim');

— 8. *'Aye, when your **callan's** ready'* (1846 Poem, Samuel
Turner, 'Song. O, But the Lads are Ready');

— 9. *'a wee bit of a **callant** they ca' Jamie'* (1847 Prose, Charles
Lever 'Sandy M'Grane');

— 10. *'A' this I would learn 'bout the **callan'*** (1848 Poem,
Samuel Turner, 'Lines to Mrs. —, Broadisland, Enquiring
after her Husband')

chiel

— 1. *'a **Cheel** we a hantle o' Kees in his Hand'* (1733 Prose,
'J.S.', *The North Country-Man's Description of Christ's
Church, Dublin*);

— 2. *'Yonder's the **cheel** that gars us sneer?'* (1753 Poem,
William Starrat, 'The Pig, or the power of Prejudice');

— 3. *'While social **chiels** wi' cracks and sangs'* (1793 Poem,
Samuel Thomson 'The Simmer Fair');

— 4. *'Shall – the wale o' norland **chiels'*** (1793 Poem, Samuel
Thomson 'Epistle to Mr. R——, Belfast');

— 5 *'Monie fine **chiels** hae set their hearts, Like him, owre
much on wine an' mirth'* (1804 Poem, James Orr, 'Elegy.
On the death of Mr. Robert Burns, the Ayrshire poet');

— 6. '*I've foun' thee out, my canty **chiel***' (1812 Poem, David Colhoun 'An Epistle to the Crochan Bard');

— 7. '*Lord, man, I'm just a rhymin' **chiel***' (1831 Poem, Joseph Carson 'Epistle to Abra'm Clark, A brother Poet');

— 8. '*a **chiel** they ca'd lang Bab, wha stud ahint O'Connell, for a' the world like the Holywood maypoul wi a whin bush for a head on't*' (1841 Prose, William McComb, 'Letter I: To Mr John Hill, Belfast, 1st February, 1841' in The Repealer Repulsed, Belfast, 1841);

— 9. '*How gladly at gloamin, my kind auld **chiel***' (1819 Poem, Thomas Beggs 'The Auld Wife's Address to her Spinning Wheel');

— 10 '*yer a braw **chiel**, an' free o' yer crack*' (1875 Prose, W. R. Ancketill, 'The Adventures of Mick Callighin, M.P. A Story of Home Rule');

— 11. '*This **chiel** wus ma Great-graunfaither*' (2001 Prose, John M'Gimpsey Johnston 'Another Ulster-Scots Writer' in Ullans, Nummer 8)

hind

— 1. '*The **hind**'s dinlin' han's, numb't we snaw-baws, to warm them*' (1804 Poem, James Orr, 'Written in Winter');

— 2. '*The **hind** conceal'd, a dear-lov'd object spies*' (1824 Poem, George Dugall 'Northern Cottage')

cadger

— 1. '***cadger** or **codger** = a corner boy (sometimes used for "person") "He's a queer **codger** that."*' (1942 Hist., North Down 'Glossary');

— 2. '***cadger** = a boy; a youth*' (1995 James Fenton, 'Hamely Tongue')

chaw

— 1. *'**chaw** = a raw youth; a churl'* (1995 James Fenton, 'Hamely Tongue')

gorsoon

— 1. *'**gorsoon** = a young lad'* (1880 Hist., William Patterson 'Glossary of Antrim and Down')

coult

— 1. *'**cowlt** = a colt; a youth; a raw youth; a rough, coarse man'* (1995 James Fenton, 'Hamely Tongue')

NICKNAMES AND DESCRIPTIVE NAMES: ASPECTS OF CHARACTER

Nicknames

It is common in Ulster-Scots for almost any surname to be shortened and given a diminutive *"-ie"* ending — as with *"Fergie"* for 'Ferguson' or *"Johntie"* for 'Johnston', but these are 'familiar' forms rather than being descriptive of the individual. Some surnames do have a particular nickname associated with it, for example people with the surname 'Smith' are often called *"Smickers"*, those called 'Hawkins' often get *"Hawk-ee"* or *"Hawk-eye"* (from the surname's association in east Antrim with the name 'Haughey'), and of course 'Murphys' get *"Spud"* (from 'potato').

But when nicknames are descriptive of the attributes of an individual person, it is interesting to note that, in Ulster-Scots, the overwhelming majority of these are uncomplimentary. Such examples as *"Towser"* ('scruffy'), *"Moiley"* ('bald'), *"Nebbie"* ('nosey'), *"Gabbie"* ('open-mouthed'), *"Lugsie"* ('big ears'), *"Kleekie"* and *"Fisty"* ('one-handed'), *"Clootie"* and *"Fyuggy"* ('left-handed') and *"Pushie"* ('timid'). These nicknames are used in place of the person's Christian name, but along with the surname (eg. *Towser* Heron, or *Moiley* Bell). On the other hand, some descriptive nicknames are only used along with the Christian name, as in *Daft* Eddie, *Blin* ('blind') Davie and *Lang* ('tall') Tam.

'Name-calling' names

The wealth of descriptive 'names' in Ulster-Scots for people with particular attributes (either of personality or physical) is remarkable. Again, almost all of these are derogatory, and it is interesting to compare the scarcity of words there is in Ulster-Scots to translate as 'genius' — as opposed to the abundance of those for 'fool'. "**Knacksie**" does have the sense of 'an exceptionally clever person' in the positive sense, as in the 1804 poem 'Donegore Hill' by James Orr of Ballycarry: "*Saunt Paul (auld **Knacksie!**) counsels weel*", but most of the other examples like "*hare*" have a negative connotation with a meaning more akin to 'cunning' or 'sly'.

As many of these 'descriptive' names have subtle shades of over-lapping meaning, there is some repetition in the following lists. They are provided here in two sections: the first dealing with names that describe the personality or mental characteristics ('Aspects of Character'), and secondly with the physical appearance or ability of the person ('Physical Attributes'). Numerous citations from the Ulster-Scots Academy historical dictionary are provided to illustrate the sources, usages and senses of the Ulster-Scots words.

(annoying person) = blister

— 1. '*blister = an annoying person*' (1880 Hist., William Patterson Glossary of Antrim and Down')

(astute, quick-witted person) = shairper

— 1. '*shairper = an astute, quick-witted person (usu. a woman)*' (1995 James Fenton, 'Hamely Tongue')

(awkward, stupid person) = gamaleerie

— 1. '*gamaleerie* = *a foolish, awkward person*' (1995 James Fenton, 'Hamely Tongue')

(bad-tempered person) = carmudgeon

— 1. '*carmudgeon* = *applies, I think, to persons who have a bad temper*' (1892 Hist., Mid-Antrim 'Glossary')

(bad-tempered, scolding person) = rip

— 1. '*rip* = *shout in anger*' ... '*a bad-tempered, scolding person (G'on ye owl **rip**, ye!); a loud, esp. angry or impatient, shout*' (1995 James Fenton, 'Hamely Tongue');

(bad-tempered woman) = clipper

— 1. '*clipper* = *a sharp-tongued woman; a scold*' (1995 James Fenton, 'Hamely Tongue')

bisom

— 1. '*bisom* = *a besom; a bad-tempered, scolding woman*' (1995 James Fenton, 'Hamely Tongue')

(bad woman) = jade

— 1. '*Baith ginge'bread wives and tinkler **jades***' (1793 Poem, Samuel Thomson 'The Simmer Fair');

— 2. '*Wale **jads**, as gruesome as my grannie, / Thraun reestet deels*' (1804 Poem, James Orr, 'Epistle to N—— P——, Oldmill');

— 3. '*That wanton **jade** ca'd love oppress'd*' ... '*And i' the air the riglin' **jades***' (1844 Poem, Robert Huddleston 'Doddery Willowaim');

— 4. '*Nae flunkie **jads** to fash*' (1846 Poem, Samuel Turner, 'Song. The Farmer's Lament');

— 5. '*The footerin' **jade** that is my death*' (1900 Poem, Thomas Given, 'Preacher Randy again');

— 6. '*I'm telt you couldna believe a word / The wicked **jade** would say*' (1915 Poem, Agnes Kerr, 'To Adam on Hearing of his Intended Marriage')

(blackguard, rogue) = blaggart;

(boisterous, rash person) = randy

— 1. '*randy = a wild reckless fellow; an indelicate romping woman; a scold*' (1880 Hist., William Patterson 'Glossary of Antrim and Down');

— 2. '*randy = violent or obstretperous [sic] person*' (1942 Hist., North Down 'Glossary'); — 3. '*randy = a boisterous, rash person*' (1995 James Fenton, 'Hamely Tongue')

(brazen, sharp-tongued woman) = heeler

— 1. '*heeler = a brazen, sharp-tongued woman*' (1995 James Fenton, 'Hamely Tongue')

plater

— 1. '*plater = a precocious girl; an abrasive, brazen woman*' (1995 James Fenton, 'Hamely Tongue')

(careless, messy person) = sloosther

(careless, untidy housewife) da-dilly

— 1. '*da-dilly = a feckless, useless person; a careless, untidy housewife*' (1995 James Fenton, 'Hamely Tongue')

(cheat, opportunist person) = chancer

— 1. '*chancer = one who will cheat if given the chance; one who survives on his 'chances'; a dodgy character or dealer*' (1995 James Fenton, 'Hamely Tongue')

(cheat, untrustworthy person) = client

— 1. '*client (-aai-) = (usu. disparaging term for) a person (A wudnae trust thon **client** as far as A'd throw him. Whut's thon **client** tryin tae sell?)*' (1995 James Fenton, 'Hamely Tongue')

(clumsy, stupid person) = gluntèr

— 1. '*glunter = stupid*' (1892 Hist., Mid-Antrim 'Glossary');

— 2. '*glunter (-tth-) = a dull-witted person; a clumsy greenhorn; one easily fooled or taken advantage of*' (1995 James Fenton, 'Hamely Tongue')

(comic or droll person) = york

— 1. '*york = a comic or droll person; a wit*' (1995 James Fenton, 'Hamely Tongue')

(conceited, puny person) = nyaff

— 1. '*nyaff = a small, insignificant person; a puny but conceited person (yin upsettin wee **nyaff**)*' (1995 James Fenton, 'Hamely Tongue')

(course, loutish person) = tyke

— 1. *'tyke* = *a coarse, loutish person'* (1995 James Fenton, 'Hamely Tongue')

(course, rough person) = coorse Christen

— 1. *'coorse Christian* = *a rough fellow'* (1880 Hist., William Patterson 'Glossary of Antrim and Down');

— 2. *'coorse Christian* = *an uncouth, unsophisticated person'* (1995 James Fenton, 'Hamely Tongue')

(cowardly, cringing person) crulge

— 1. *'crulge* = *to cower down as before a fire to get warmed'* (1942 Hist., North Down 'Glossary');

— 2. *'crulge* = *crouch, stoop, be in a cramped position; cower'* ... *'a cowardly, cringing person'* (1995 James Fenton, 'Hamely Tongue');

(cunning, sharp-witted person) shaver

— 1. *'shaver* = *an eccentric fellow'* (1824 Hist., George Dugall 'Northern Cottage Glossary');

— 2. *'shaver* = *indeterminate young person.* "Who is that young *shaver* over there?"' (1942 Hist., North Down 'Glossary');

— 3. *'shaver* = *a cunning, sharp-witted person'* (1995 James Fenton, 'Hamely Tongue');

(despicable, brutish man) = low houn

— 1. *'low houn* = *a despicable, brutish man'* (1995 James Fenton, 'Hamely Tongue')

(despicable, dirty 'skunk') brock

— 1. *'Peace! (quoth the suttor) 'creeshy **brock**'* (1793 Poem, Samuel Thomson 'The Simmer Fair');

— 2. *'Munchausen – bare-faced, leein'-**brock**'* (1846 Poem, Samuel Turner, 'Tailor Jock');

— 3. *'**brock** = a foolish person; a dirty person; one who has a bad smell'* (1880 Hist., William Patterson 'Glossary of Antrim and Down');

— 4. *'**brock** = the badger. A nickname applied to a dirty person; as, You're a dirty **brock**; you're stinkin' like a **brock**'* (1892 Hist., Mid-Antrim 'Glossary');

— 5. *'**brock** = a person of uncleanly habits. (Also a pronunciation of "broke")'* (1973 Hist., Ards and North Down 'Glossary');

— 6. *'**brock**= a badger; a slovenly or surly man'* (1995 James Fenton, 'Hamely Tongue');

(despicable, skulking or treacherous person) = slink

— 1. *'**slink** = a toady; a treacherous person; a despicable, skulking person'* (1995 James Fenton, 'Hamely Tongue')

(disgusting, pathetic person) = puke

— 1. *'**puke** = to vomit. Applied also to a conceited and vain person; as, You're a **puke**'* (1892 Hist., Mid-Antrim 'Glossary');

— 2. *'**puke** = a poor-spirited person (very derogatory, and worse than the present day saying "like something the cat brought in")'* (1942 Hist., North Down 'Glossary');

— 3. *'**puke** = a ridiculous or pathetic, puny person; a person *whose ways would disgust one'* (1995 James Fenton, 'Hamely Tongue')

(doleful, listless person) = doran

— 1. *'doran (doh-) = a doleful, listless person'* (1995 James Fenton, 'Hamely Tongue')

(droll, witty person) = tyatte

— 1. *'tyatte = a droll, witty person, esp. one quick at repartee'* (1995 James Fenton, 'Hamely Tongue')

(dull, dreamy and stupid person) = doichle

— 1. *'doichle = a dull, dreamy or esp. stupid person'* (1995 James Fenton, 'Hamely Tongue')

(dull, stupid person) doit

— 1. *'doit = a heedless youngster who would perhaps mismanage a message'* (1892 Hist., Mid-Antrim 'Glossary');

— 2. *'doit (-oy-) = a dull, stupid person'* (1995 James Fenton, 'Hamely Tongue')

(dull, slow-witted person) = dozer

— 1. *'dozer = a dull, slow-witted person (usu. used neg.: Daenae cod yersel, he's nae slow dozer)'* (1995 James Fenton, 'Hamely Tongue')

(effeminate man) = Jinny

— 1. *'That pachel — he's only an ould jinny of a man'* (1951 Prose, Sam Hanna Bell 'December Bride');

— 2. '*Jinny* = *an effeminate man*' (1995 James Fenton, 'Hamely Tongue')

(eccentric person) = cranky

— 1. '*cranky* = *a youngster having an old-fashioned look for his years, is called* **cranky**, *as, His wee* **cranky** *face*' (1892 Hist., Mid-Antrim 'Glossary');

— 2. '*cranky* (*-ah-*) = *a crank, an oddity, a very eccentric*' (1995 James Fenton, 'Hamely Tongue')

(exceptional person) = han-waled yin

— 1. '*a han-waled yin* = *a very exceptional person*' (1995 James Fenton, 'Hamely Tongue')

(fawning, obsequious person) = comsleesh

— 1. '*cumsloosh* = *one fond of praise, a softy*' (1924 Hist., 'A Screed frae Cookstown (II)', 'Northern Whig: Ulster Words and Phrases');

— 2. '*a great "cumsloosh"* = *one fond of "floostering"*' (1931 Hist., 'Portglenone' (Mid-Antrim and Derry), 'Northern Whig: Letters on Ulster Vernacular');

— 3. '*comsleesh*, *also* **compleesh, comslaister, comslooster** = *a fawning, obsequious person; a toady*' (1995 James Fenton, 'Hamely Tongue')

(feckless, useless person) = da-dilly

— 1. '*da-dilly* = *a helpless, useless person*' ... '*She's a sore* **da-dilly** *of a crayture*' (1880 Hist., William Patterson 'Glossary of Antrim and Down');

— 2. '**da-dilly** = *a feckless, useless person; a careless, untidy housewife*' (1995 James Fenton, 'Hamely Tongue')

(feeble worthless person) *(hist.)* = wandocht

— 1. '*The* **Wandought** *seems beneath thee on his Throne*' (c. 1722 Poem, William Starrat of Strabane: 'A Pastoral in Praise of Allan Ramsay');

— 2. '*Some ither herds wi'* **wandoughts** *at their beck*' (1753 Poem, William Starrat, 'Elegy on the death of Jonathan Swift')

(flatterer) = sloosther

— 1. '**slooster** *(-tth-) = a toady; a servile flatterer*' (1995 James Fenton, 'Hamely Tongue')

(flighty girl) = jillet, jilt

— 1. '*While some slee* **jilt**, *wi' mirth sincere ay*' (1804 Poem, James Orr, 'Tea');

— 2. '*An' wife, in a fear ay, that* **jilts** *meet her dearie*' (1804 Poem, James Orr, 'The Spae-Wife');

— 3. '*Whan ance I've gat the* **jillet**, *vow!*' (1844 Poem, Robert Huddleston 'Epistle to Mr J Macoubrey')

(fool) = clem

— 1. '**clem** = *a stupid fellow*' (1942 Hist., North Down 'Glossary');

— 2. '**clem** = *a clown, a fool*' (1995 James Fenton, 'Hamely Tongue')

clift

— 1. *'**clift** = a fool; (esp.) a giddy girl or woman'* (1995 James Fenton, 'Hamely Tongue')

coof

— 1. *'To hear a **cuif**, whase useless gold'* (1804 Poem, James Orr, 'Epistle to S. Thomson of Carngranny');

— 2. *'Then, presently he was address'd / By just a **coof**, o' cash possess'd'* (1813 Hist., Hugh Porter 'An Address to Poverty');

— 3. *'**coof** = blockhead'* (1813 Hist., Hugh Porter 'Glossary');

— 4. *'**coof**, **couf** = a clownish fellow'* (1880 Hist., William Patterson 'Glossary of Antrim and Down');

— 5. *'**coof** = a sheepish young fellow'* (1892 Hist., Mid-Antrim 'Glossary');

— 6. *'**coof** = a fool'* (1931 Hist., 'Bangor' (County Down), 'Northern Whig: Letters on Ulster Vernacular');

— 7. *'**coof** = an ungainly and ignorant person. "He's a big **coof**."'* (1942 Hist., North Down 'Glossary');

— 8. *'**coof**, also loc. **kiff** = a clown, a fool, a simpleton'* (1995 James Fenton, 'Hamely Tongue')

dafty

— 1. *'**dafty** = a silly, lightheaded person; a fool'* (1995 James Fenton, 'Hamely Tongue'

eedyit

— 1. *'**eedyit** = an idiot; a naive, stupid person'* (1995 James Fenton, 'Hamely Tongue');

— 2. *'Yer man's a rail **eedyit** — 'He's an utter fool'"* (1997 Philip Robinson, 'Ulster-Scots Grammar: Adjectives, Adverbs and asking Questions')

galumph

— 1. '*glumph* = *another nickname, which would be applied to a sheepish sort of youngster*' (1892 Hist., Mid-Antrim 'Glossary');

— 2. '*glumph* = *one who is provokingly empty-headed*' (1931 Hist., M. Montgomery (Ballymena), 'Northern Whig: Letters on Ulster Vernacular');

— 3. '*glumph, also galumph* = *a fool; a gawky, awkward person; a surly person*' (1995 James Fenton, 'Hamely Tongue')

gaum

— 1. '*gaum* = *fool; an awkward person*' (1942 Hist., North Down 'Glossary')

gazaibie

— 1. '*gazebie* = *a big awkward person and a bit of a fool*' (1942 Hist., North Down 'Glossary');

— 2. '*gezebie* = *a big, clumsy person*' (1931 Hist., M. Montgomery (Ballymena), 'Northern Whig: Letters on Ulster Vernacular');

— 3. '*gazaiby* = *a (usu. building) folly; any ridiculous structure*' (1995 James Fenton, 'Hamely Tongue')

geek

— 1. '*geek* = *a gawk, a fool, an idiot*' (1995 James Fenton, 'Hamely Tongue')

gilly

— 1. '*gillie* = *a fool*' (1995 James Fenton, 'Hamely Tongue')

glipe

— 1. '*Yon glype sae buxsom*' (1844 Poem, Robert Huddleston 'On Salts');

— 2. '*glipe* = *an uncouth fellow*' (1880 Hist., William Patterson

'Glossary of Antrim and Down');

— 3. *'omadhaun (fool) (Mid-Ulster English) = ligg, **gype**, etc. (Ulster-Scots)'* (1959 Hist., Robert J. Gregg, Ulster-Scots 'markers' in 'The Ulster Dialect Survey');

— 4. *'**glipe** = person with little sense'* (1987 Hist., Tom Porter and Charles Cunningham, 'Mourne Dialect' in '12 Miles of Mourne – Journal of the Mourne Local Studies Group', Vol. 1);

— 5. *'**glipe** = a raw youth; a fool'* (1995 James Fenton, 'Hamely Tongue')

gomeral

— 1. *'**gomeril** = a fool'* (1880 Hist., William Patterson 'Glossary of Antrim and Down');

— 2. *'**gomeril** = a nickname for a foolish fellow constantly making mistakes'* (1892 Hist., Mid-Antrim 'Glossary');

— 3. *'**gamfril** = an openly foolish person ... haevril = ditto'* (1924 Hist., 'A Screed frae Cookstown (II)', 'Northern Whig: Ulster Words and Phrases');

— 4. *'**gomeril** = stupid person'* (1931 Hist., 'Ulster Scot', 'Northern Whig: Letters on Ulster Vernacular');

— 5. *'**gomeral** = foolish fellow'* (1931 Hist., 'Ulster' (Lisburn), 'Northern Whig: Letters on Ulster Vernacular');

— 6. *'**gomeral** = an uncouth person'* (1942 Hist., North Down 'Glossary');

— 7. *'**gomerel**, also **gamerel, gormerel** = a simpleton, a fool, a gawk'* (1995 James Fenton, 'Hamely Tongue')

gomus

— 1. 'Fu' fain wad try't a **gomas**' (1844 Poem, Robert Huddleston 'The Lammas Fair');

— 2. '*gomus* = *a stupid person or blockhead*' (1880 Hist., William Patterson 'Glossary of Antrim and Down')

gowk

— 1. '*At thoughtless **gowk**, frae cutty stale*' (1799 Poem, Samuel Thomson 'Listen Lizie, Lilting to Tobacco');

— 2. '*Poor silly **gowks**'* 1811 Poem, Francis Boyle 'On Presenting a Plough to a Clergyman'); — 3. '*O! but I was a silly **gowk**'* (1813 Poem, Hugh Porter 'A Concluding Address ');

— 4. '*gowk* = *a cuckoo; a fool*' (1824 Hist., George Dugall 'Northern Cottage Glossary');

— 5. '*Poor silly **gowks**, they thought the cry*' (1828 Poem, Sarah Leech 'Address to Lettergull');

— 6. '*gowk* = *a foolish person*' (1828 Hist., Sarah Leech 'Glossary');

— 7. '*But weel I wat he's but a **gowk**'* (1846 Poem, Samuel Turner, 'Song. I'm Young an' Wee');

— 8. '*Ye great mickle **gowk**'* (1902 Prose, Archibald McIlroy 'The Wedding Ring');

— 9. '*gowk* = *an awkward country man*' (1942 Hist., North Down 'Glossary')

gulpin

— 1. '*gulpin* = *stupid person*' (1987 Hist., Tom Porter and Charles Cunningham, 'Mourne Dialect' in '12 Miles of Mourne – Journal of the Mourne Local Studies Group', Vol. 1);

— 2. '*gulpin* = *a raw youth; a growing boy; a fool*' (1995 James Fenton, 'Hamely Tongue') gype

— 1. *'Gypes co'ert the wharf to gove, an' stare'* (1804 Poem, James Orr, 'The Passengers')

— 2. *'gype = one who does foolish things'* (1924 Hist., 'A Screed frae Cookstown (II)', 'Northern Whig: Ulster Words and Phrases');

— 3. *'a gype = a person of little sense'* (1924 Hist., 'Lex' (Ballyclare), 'Northern Whig: Ulster Words and Phrases');

— 4. *'gype = a fool'* (1995 James Fenton, 'Hamely Tongue')

haiverel

— 1. *'haiverel = a fellow half a fool ... giddy; foolish'* (1880 Hist., William Patterson 'Glossary of Antrim and Down');

— 2. *'gamfril = an openly foolish person ... haevril = ditto'* (1924 Hist., 'A Screed frae Cookstown (II)', 'Northern Whig: Ulster Words and Phrases');

— 3. *'haiverel = a lazy lout; a fool; a simpleton'* (1995 James Fenton, 'Hamely Tongue')

half nateral

— 1. *'half natural = a fool'* (1880 Hist., William Patterson 'Glossary of Antrim and Down')

lig

— 1. *'omadhaun (fool) (Mid-Ulster English) = ligg, gype, etc. (Ulster-Scots)'* (1959 Hist., Robert J. Gregg, Ulster-Scots 'markers' in 'The Ulster Dialect Survey');

— 2. *'lig = silly person'* (1987 Hist., Tom Porter and Charles Cunningham, 'Mourne Dialect' in '12 Miles of Mourne – Journal of the Mourne Local Studies Group', Vol. 1);

— 3. *'lig = a clown; a stupid lout; a clumsy idiot (hence ect the lig act the clown)'* (1995 James Fenton, 'Hamely Tongue')

mug

— 1. *'**mug** = a fool; a gullible person'* (1995 James Fenton, 'Hamely Tongue')

sot

— 1. *'Ye fool, you **sot**, your labour hain'* (1753 Poem, William Starrat, 'The Pig, or the power of Prejudice');

— 2. *'An' yet they're friety -- **sots** wha'd gie'* (1804 Poem, James Orr, 'To a Sparrow');

— 3. *'Poor senseless **sot**'* (1824 Poem, George Dugall 'Epistle to Mr. J McG—, Londonderry')

stupe

— 1. *'They werena **stupes**, wha fient na word can say'* (1804 Poem, James Orr, 'The Penitent')

gansh

— 1. *'**ganch** = an awkward, silly fellow'* ... *'A sore **ganch** of a craithur'* (1880 Hist., William Patterson 'Glossary of Antrim and Down');

— 2. *'**gaunch** = silly person (County Antrim)'* (1931 Hist., 'Ulster' (Lisburn), 'Northern Whig: Letters on Ulster Vernacular');

— 3. *'**ganch** = a brute of a fellow. "Oh, he's nothing but a big **ganch**"'* (1942 Hist., North Down 'Glossary');

— 4. *'**gansh** = stammer. n. stammer; an empty chatterbox (Daenae gie ear tae thon **gansh**)'* (1995 James Fenton, 'Hamely Tongue');

(foolish abusive-talking person) = slabber

— 1. *'slabber = to slobber; also used of a talkative person who can't keep a secret. A "loud mouth"'* (1973 Hist., Ards and North Down 'Glossary');

— 2. *'slabber = stupid, foolish talk; a person given to this'* (1995 James Fenton, 'Hamely Tongue')

(foolish awkward person) = footèr

— 1. *'footther = a useless, foolish, or awkward person'* (1880 Hist., William Patterson 'Glossary of Antrim and Down');

— 2. *'footer = a clumsy, unhandy person'* (1924 Hist., 'W.J.M.B', 'Northern Whig: Ulster Words and Phrases');

— 3. *'footer (-tth-) = a clumsy, ineffectual worker. v. work or handle in an ineffectual, lazy or absent-minded way (footerin an workin an daein very little; footerin at this owl injin this oors)'* (1995 James Fenton, 'Hamely Tongue')

(foolish light-headed person) = gam

— 1. *'gam, also gamf, gamfrel = a foolish, lightheaded person; a simpleton'* (1995 James Fenton, 'Hamely Tongue')

(foolish or ridiculous person) = crettèr

— 1. *'cretter (-tth-) = a foolish or ridiculous person (A cretter lake hir settin hir kep for a boady lake him!)'* (1995 James Fenton, 'Hamely Tongue')

(foolish talking person) = blether, bletherskite

— 1. *'Or count them useless blethers'* 1811 Poem, Francis Boyle 'To a Clergyman');

— 2. '*An' would sic rhyming **blethers** tell*' (1813 Poem, Hugh Porter 'To the Reverend T.T. (I)');

— 3. '*blether* = *to talk nonsense; a bladder*' (1824 Hist., George Dugall 'Northern Cottage Glossary');

— 4. '*blether* = *a person who talks nonsensically; a bladder*' (1892 Hist., Mid-Antrim 'Glossary');

— 5. '*Though crownheeds brag and **blether**'* (1900 Poem, Thomas Given, 'December');

— 6. '*My sang but you're the biggest **blether**'* (1915 Poem, Agnes Kerr, 'To Bab M'Keen, On Reading his Sayings');

— 7. '*bletherin'* = *talking silly nonsense*' (1924 Hist., 'N. Antrim', 'Northern Whig: Ulster Words and Phrases');

— 8. '*blethers* = *foolish talk*' ... '*blether-skite* or *a **blether*** = *a random talker*' (1931 Hist., 'Ulster' (Lisburn), 'Northern Whig: Letters on Ulster Vernacular');

— 9. '*blather* or **blether** = *nonsensical talk. (**Blather** or **blether** is the common provincial pronunciation of "bladder" – a blown up and dried bladder with some dried peas in it was tied to a short stick, and used as a "fool's wand of office", hence all noise and no sense. So a **blather** or **blether** was one whose talk was all wind and noise and no sense.)* "What are you **blethering** about?" "Don't talk **blethers**." "You're a **blather-cum-skite**, and the ducks will get you." (said to a child when it has been asking foolish questions)' (1942 Hist., North Down 'Glossary');

— 10. '*blether* = *talk nonsense, ramble. n. one who habitually talks nonsense (occas. **bletherskite**). **blethers** rambling nonsense*' (1995 James Fenton, 'Hamely Tongue')

(friendly, kindly person) = dacent soart

— 1. *'a dacent soart = a friendly, kindly person'* (1995 James Fenton, 'Hamely Tongue')

(frolicsome, mischevious crowd of children) rammatrek

— 1. *'ramatracks = running about aimlessly'* (c.1960 Hist., M. and R. H. Montgomery 'Glossary of Ballymena district');

— 2. *'And someone then is sent around, to get the neighbours in, / It's the **ramatack** that they'll go through when they let the fun begin'* (1907 Poem, Ernest Milligan ('Will Cowan'), 'Christmas Eve']

(giddy, foolish man) = sillyman

— 1. *'sillyman; sillywife = a giddy, foolish man, woman'* (1995 James Fenton, 'Hamely Tongue')

(giddy, gawkish person) = tappy, tawpie

— 1. *'tawpie = a ninny'* (1824 Hist., George Dugall 'Northern Cottage Glossary');

— 2. *'But ghaistly guid-for-naething gawpies, / That spindle up to silly **tawpies**'* (1831 Poem, Joseph Carson 'Epistle to Abra'm Clark, A brother Poet');

— 3. *'Ye menseless **tawpies**! ye bauld cutties! ye wanton limmers! ye'* (1832 Prose, Samuel Ferguson 'The Wet Wooing');

— 4. *'I count her but a **tawpy** quean'* (1846 Poem, Samuel Turner, 'Song. O, But the Lads are Ready');

— 5. *'taapie = a silly, careless woman'* (1880 Hist., William Patterson 'Glossary of Antrim and Down');

— 6. '*tappey* = *foolish-looking girl*' (1931 Hist., 'Country Mouse' (Tyrone and Down), 'Northern Whig: Letters on Ulster Vernacular');

— 7. '*tappy* = *a silly person*' (1942 Hist., North Down 'Glossary');

— 8. '*tappy* = *a scatterbrain; a giddy, gawkish person (esp. a young woman)*' (1995 James Fenton, 'Hamely Tongue');

(good, exceptional person) = clinker

— 1. '*clinker* = *an outstanding specimen (He merried a rail wee* **clinker***)*' (1995 James Fenton, 'Hamely Tongue')

(hateful woman) = jilt

— 1. '*I oft, in passion, wish the* **jilt***, / Ungot, ay, and her father gelt*' (1799 Poem, Samuel Thomson 'Davie and Sawney, An Ale-House Ecologue')

(headstrong, blundering person) = ramstam

— 1. '*ram stam* = *at random*' (1892 Hist., Mid-Antrim 'Glossary');

— 2. '*ramstam* = *blindly; heedlessly; without plan or thought (goes at iverythin* **ramstam***). n. a headstrong, blundering person*' (1995 James Fenton, 'Hamely Tongue')

(heartless, unfeeling person) = coul Christian, coul crettèr;

(hen-pecked man) = pooshy

— 1. '*an owl poohy* = *a toady; a henpecked man*' (1995 James Fenton, 'Hamely Tongue')

(hot-tempered person) = tap-o-tow

— 1. *'tap-o-tow = a hot-tempered person'* (1995 James Fenton, 'Hamely Tongue');

(ill-tongued woman) = tinker

— 1. *'tinker = an ill-disposed, ill-tongued woman'* (1995 James Fenton, 'Hamely Tongue')

randy

— 1. *'randy = a scold'* (1942 Hist., North Down 'Glossary')

screenge

— 1. *'screenge = a scold; an ill-tongued woman'* (1995 James Fenton, 'Hamely Tongue')

(incompetent or useless person) = tiaddle

— 1. *'tiaddle = an incompetent or useless person'* (1995 James Fenton, 'Hamely Tongue')

(ineffectual person) = cüsh

(insignificant, silly person) = noit

— 1. *'noit = 'A noit of a crayture,' an insignificant person'* (1880 Hist., William Patterson 'Glossary of Antrim and Down');

— 2. *'noit, nutyon = a projecting knob from some of the joints of the feet, especially from the root of the big toe. A numbskull would be called a noit'* (1892 Hist., Mid-Antrim 'Glossary')

(kindly, honourable person) = dacent boadie

—1. *'dacent boady = a kindly, honourable or generous person'* (1995 James Fenton, 'Hamely Tongue')

(lazy, worthless person) = cipher

— 1. *'cipher = a lazy, worthless person'* (1995 James Fenton, 'Hamely Tongue')

(lazy lout) = hipel

— 1. *'hipel = a good for nothing sort of fellow; a lazy **hipel'*** (1892 Hist., Mid-Antrim 'Glossary');

— 2. *'hipel (hie-) = a lazy, good-for-nothing person; a layabout; a lout'* (1995 James Fenton, 'Hamely Tongue')

(lazy, good-for -nothing person) = daw

— 1. *'Ye rector's lazy **daw'*** (1753 Poem, William Starrat, 'Tit for Tat, or The Rater Rated');

— 2. *'Potatoes too, that **Daws** do stew'* 1811 Poem, Francis Boyle 'The Lousy Taylor');

— 3. *'daw = a lazy, good for nothing person'* (1880 Hist., William Patterson 'Glossary of Antrim and Down');

(lazy, low, loutish man) = kerrion

— 1. *'kerrion = a lazy, low, loutish man'* (1995 James Fenton, 'Hamely Tongue')

slipe

— 1. *'slipe = a lazy, good-for-nothing man'* (1995 James Fenton, 'Hamely Tongue')

(lazy, lifeless person) = hing'l

— 1. *'hingle (hang'l) = a lazy, lifeless person'* (1995 James Fenton, 'Hamely Tongue')

(light-headed, flighty person) = skeegwag

— 1. *'skigwig = word of reproach … skeible = ditto … both are words of reproach, making little of the person referred to'* (1924 Hist., 'Rus.', 'Northern Whig: Ulster Words and Phrases');

— 2. *'skeegwag (-ah-) = a lightheaded, flighty person'* (1995 James Fenton, 'Hamely Tongue')

(light-headed, flighty woman) = flip

— 1. *'flip = a lightheaded or flighty woman'* (1995 James Fenton, 'Hamely Tongue')

(light-headed, silly person) = caleery

— 1. *'caleery = a vain thoughtless person'* (1892 Hist., Mid-Antrim 'Glossary');

— 2. *'caleery = a silly, light-hearted person'* (1931 Hist., 'J.C' (Larne), 'Northern Whig: Letters on Ulster Vernacular');

— 3. *'caleery = a silly, light-headed person'* (1995 James Fenton, 'Hamely Tongue')

(light-headed, giddy person) = tapaleery

— 1. *'tapaleerie = a light-headed, giddy person'* (1995 James Fenton, 'Hamely Tongue')

(lively, mischievious, frisky youth) = gilpie

— 1. *'Seeking saft headed **gilpies** out'* (1753 Poem, William Starrat, 'The Pig, or the power of Prejudice');

— 2. *'Wee **gilpies**, young widows, auld maidens, an' a"* (1846 Poem, Samuel Turner, 'Leezy M'Minn')

(lively, spirited man) = birkie

— 1. *'The **birkies** weigh the anchor'* (1804 Poem, James Orr, 'The Passengers');

— 2. *'Weel, up he starts, as blythe as a **birkie** leuking for a partner at a penny-weddin"* (1841 Prose, William McComb, 'Letter II. To Mr John Hill, Belfast, 2nd February, 1841', in: The Repealer Repulsed, Belfast, 1841);

— 3. *'That **birkies** ca' the Lammas'* ... *'Yon **birky** lo! behold! him dress'd'* (1844 Poem, Robert Huddleston 'The Lammas Fair');

— 4. *'**birky** = an active boy or youth'* (1924 Hist., 'A.E' (Ballycarry), 'Northern Whig: Ulster Words and Phrases')

(lively, spirited, young person) = spunkie

— 1. *'An' youthfu' **spunkies** skip and striddle'* (1793 Samuel Thomson, 'Elegy on R—— I——');

— 2. *'My **spunkie** blythe, ay whan at leisure'* (1793 Poem, Samuel Thomson 'Epistle to Mr. R——, Belfast ... To the Same');

— 3. *'Frae ilka neuk the **spunkies** staucher'* (1804 Poem, James Orr, 'Epistle to N—— P——, Oldmill');

— 4. *'A vera **spunkie** fu' o' fun'* (1844 Poem, Robert Huddleston 'Doddery Willowaim');

— 5. '*spunky* = *said of a person who was generous and did his part in an off-hand way*' (1892 Hist., Mid-Antrim 'Glossary')

(loud-mouthed person) mouth

— 1. '*mouth*= *a fool; one easily duped; a loudmouth. (Note: In this sense only, otherwise mooth: Thon **mouth** niver knows whun tae keep his mooth shut.)*' (1995 James Fenton, 'Hamely Tongue')

(loud-mouthed, blustering person) = glowstèr

(loutish, uncouth man) = chairge

— 1. '*chairge* = *a loutish, uncouth man*' (1995 James Fenton, 'Hamely Tongue')

(low, insolent person) = snottèr

— 1. '*snotther* = *mucus of the nose; also a term of contempt*' (1880 Hist., William Patterson 'Glossary of Antrim and Down');

— 2. '*snotter (-tth-)* = *nasal mucus (esp. in plural, hanging from the nose: bawin an greetin an the **snotters** blinnin him); a low, insolent person (an ill-bred wee **snotter**); the narrow wattle hanging over a turkey's beak*' (1995 James Fenton, 'Hamely Tongue')

(low, mean-spirited person) = messon

— 1. '*While a' they mak' can harly please / Some rack-rent **messon***' (1804 Poem, James Orr, 'To the Potatoe');

— 2. *'His nieve, that nail'd the* **messons** *to the sward'* (1804 Poem, James Orr, 'The Penitent');

— 3. *'***messen** *= a contemptuous term for a little person of either sex'* (1880 Hist., William Patterson 'Glossary of Antrim and Down');

— 4. *'***messin** *= a mean person; as, You're a dirty* **messin***'* (1892 Hist., Mid-Antrim 'Glossary');

— 5. *'***messin** *= a silly boy'* (1931 Hist., 'Ulster' (Lisburn), 'Northern Whig: Letters on Ulster Vernacular')

(ludicrous person) = gornicle

— 1. *'***gornicle** *= a ludicrous person; an oddity; a simpleton'* (1995 James Fenton, 'Hamely Tongue')

(mean-spirited 'upstart') = naeboadie

— 1. *'***a naeboady** *= a low, mean-spirited person (We al hae wer falts, but thon's* **a naeboady***)'* (1995 James Fenton, 'Hamely Tongue')

(nagging, complaining person) = crake

— 1. *'***crake***, also loc.* **crek** *= a continually complaining or nagging person'* (1995 James Fenton, 'Hamely Tongue')

(naive, stupid person) = eedyit

— 1. *'***eedyit** *= an idiot; a naive, stupid person'* (1995 James Fenton, 'Hamely Tongue')

(nervous person) = feardie

— 1. *'feardie = a very nervous person, a coward'* (1995 James Fenton, 'Hamely Tongue')

(objectionable, niggling little person) = nyir

—1. *'nyir = an objectionable, niggling little person'* (1995 James Fenton, 'Hamely Tongue');

— 2. *'An we thocht o the wie the wee **nyir** man hae wunthered, jumpin agane aply'* (2001 Prose, James Fenton, 'The Lade' in Ullans, Nummer 8), scur — 1. *'scur = a brat; an objectionable person; any small annoying thing'* (1995 James Fenton, 'Hamely Tongue')

(out of the ordinary person) = case

— 1. *'case = a 'case'; a comical, outrageous, pitiful, etc. person (Dear knows but isn't thon a case?)'* (1995 James Fenton, 'Hamely Tongue')

(pert, precocious girl) = blade

— 1. *'blade = a term applied to a bold woman'* (1892 Hist., Mid-Antrim 'Glossary');

— 2. *'blade = a precocious girl (a cheeky wee blade)'* (1995 James Fenton, 'Hamely Tongue')

clip

— 1. *'clip = a mischievous young girl'* (1880 Hist., William Patterson 'Glossary of Antrim and Down');

— 2. *'But the wee **clip** she's able fur me'* (c.1880 Prose, W. G. Lyttle 'His Wee Paddy');

— 3. *'clip = a term applied to a female child who had done something wrong. A'll gie it tae for that ye* **clip**' (1892 Hist., Mid-Antrim 'Glossary');

— 4. '**clip** = *an imp of mischief. "She's a young* **clip** *that."'* (1942 Hist., North Down 'Glossary');

— 5. '**clip** = *a pert or precocious girl (a bowl wee* **clip**)' (1995 James Fenton, 'Hamely Tongue')

plater

— 1. '*plater* = *a precocious girl; an abrasive, brazen woman*' (1995 James Fenton, 'Hamely Tongue')

cockaninny

— 1. '*cockaninny* = *a cocky, conceited young girl*' (1995 James Fenton, 'Hamely Tongue')

strap

— 1. '*strap* = *a precocious girl (an ill-bred wee* **strap**)' (1995 James Fenton, 'Hamely Tongue')

thing

— 1. '*thing* = *sl. a girl (He's still gan wae thon wee* **thing** *frae Mosside)*' (1995 James Fenton, 'Hamely Tongue')

(perverse, refractory person) = buckie

— 1. '*Sae sairly wed tae sic a bucky*' (1844 Poem, Robert Huddleston 'Doddery Willowaim')

(posh, refined person) = swankie

— 1. '*The thoughtfu'* **swankies** *dinna fail*' (1793 Poem, Samuel Thomson 'The Simmer Fair')

(precocious boy) = crab

— 1. '*crab = a small ill-natured person*' (1942 Hist., North Down 'Glossary');

— 2. '*crab = derog. or contempt. a precocious boy, a small man*' (1995 James Fenton, 'Hamely Tongue')

(puny, cocky person) = skittèr

— 1. '*Ye daft wee skitter*' (1943 Prose, Sam Hanna Bell 'This We Shall Maintain');

— 2. '*skitter = a (usually small) obnoxious person*' (1973 Hist., Ards and North Down 'Glossary');

— 3. '*The cheeky wee skitter gaes "Awa hame yersel"*' (1995 Prose, Thomas Finegan, 'Gie Us The Day' in Ullans, Nummer 3);

— 4. '*skitter (-tth-) = a puny, and esp. cocky, person (a sore, snottery wee skitter)*' (1995 James Fenton, 'Hamely Tongue')

(puny, insignificant person) = gral

— 1. '*gral = a small boy (a gral o a chap); a puny, insignificant person (Thon gral shapin tae fecht!)*' (1995 James Fenton, 'Hamely Tongue')

(puny, ridiculous person) = nag

— 1. '*nag (-ah-) = a puny (often ridiculous) person (a wee nag o a boady); a testicle*' (1995 James Fenton, 'Hamely Tongue')

(rough, coarse man) = coult

— 1. *'cowlt = a youth; a raw youth; a rough, coarse man'* (1995 James Fenton, 'Hamely Tongue')

(sad, unfortunate person) = crettèr

(scolding woman) = taickle

— 1. *'taickle = a randy; a talking, scolding woman'* (1880 Hist., William Patterson 'Glossary of Antrim and Down')

targe

— 1. *'targe = to scold loudly'* (1880 Hist., William Patterson 'Glossary of Antrim and Down');

— 2. *'targe = a bold scolding woman'* (1892 Hist., Mid-Antrim 'Glossary');

— 3. *'targe = to scold. "He came **targing** in" (scolding as he came)'* ... *'targe = a forward talkative woman with a bad tongue in her head. "She [sic] just a bad bold **targe**, that's what she is"'* (1942 Hist., North Down 'Glossary');

— 4. *'targe, also **tairge** = a scolding woman; a virago (She's an ill-bred, ill-tempered, ill-tongued owl **targe**)'* (1995 James Fenton, 'Hamely Tongue')

(scowling, surly person) = grumph

— 1. *'grumph = a scowling, surly person; a continually complaining person. v., n. grunt (esp. of a pig)'* (1995 James Fenton, 'Hamely Tongue')

(sharp, prying, managing woman) = heeler

— 1. *'heeler = a sharp, prying, managing woman'* (1880 Hist., William Patterson 'Glossary of Antrim and Down');

— 2. *'heeler = a brazen, sharp-tongued woman'* (1995 James Fenton, 'Hamely Tongue')

(shrewish, sharp-tongued woman) = ittèrcat

— 1. *'ittercat (-tth-) = a spiteful, ill-tempered person; a shrewish, sharp-tongued woman'* (1995 James Fenton, 'Hamely Tongue')

(silly, careless woman) = tappy, tawpie

— 1. *'tawpie = a ninny'* (1824 Hist., George Dugall 'Northern Cottage Glossary');

— 2. *'But ghaistly guid-for-naething gawpies, / That spindle up to silly **tawpies**'* (1831 Poem, Joseph Carson 'Epistle to Abra'm Clark, A brother Poet');

— 3. *'Ye menseless **tawpies**! ye bauld cutties! ye wanton limmers! ye'* (1832 Prose, Samuel Ferguson 'The Wet Wooing');

— 4. *'I count her but a **tawpy** quean'* (1846 Poem, Samuel Turner, 'Song. O, But the Lads are Ready');

— 5. *'taapie = a silly, careless woman'* (1880 Hist., William Patterson 'Glossary of Antrim and Down');

— 6. *'tappey = foolish-looking girl'* (1931 Hist., 'Country Mouse' (Tyrone and Down), 'Northern Whig: Letters on Ulster Vernacular');

— 7. *'tappy = a silly person'* (1942 Hist., North Down 'Glossary');

— 8. '*tappy* = *a scatterbrain; a giddy, gawkish person (esp. a young woman)*' (1995 James Fenton, 'Hamely Tongue')

(silly person) = tothan

— 1. '*tothan* = *a silly person*' (1880 Hist., William Patterson 'Glossary of Antrim and Down')

(silly, frivolous person) = skite

— 1. '*skite* = *a term of contempt; an empty, conceited fellow*' (1880 Hist., William Patterson 'Glossary of Antrim and Down')

(scatter-brained person) = taupie

— 1. '*Taupies* *beneath their wives wha stole*' (1804 Poem, James Orr, 'The Passengers');

— 2. '*The henpecket* **taupie***, wha'd wiss to be happy*' (1804 Poem, James Orr, 'The Spae-Wife')

(silly, light-headed person) = dafty

— 1. '*dafty* = *a silly, lightheaded person; a fool*' (1995 James Fenton, 'Hamely Tongue');

(silly, open-mouthed person) = gabby

— 1. '*gabbey* = *a silly person going about with his mouth open*' (1942 Hist., North Down 'Glossary')

(simpleton) = gaedèrel

— 1. '*gaederel* *(-dh-)* = *a stupid person; a simpleton*' (1995 James Fenton, 'Hamely Tongue')

(silly, slow-witted person) = stuke

— 1. *'**stuke** = a dull, slow-witted person; a gawk; a stupid person. (Also **stukey** adj.)'* (1995 James Fenton, 'Hamely Tongue')

(slatternly woman) = midden

— 1. *'**midden** = a slatternly woman'* (1995 James Fenton, 'Hamely Tongue');

— 2. *'For I wus gled an thankfa tae be redd o' thon big **midden**'* (1998 Poem, Charlie Gillen, 'The Dance' in Ullans, Nummer 6)

(slatternly and disreputable woman) = tail

— 1. *'**tail** = fig. a slatternly and disreputable woman (What he sees in thon owl **tail** bates me)'* (1995 James Fenton, 'Hamely Tongue')

(smart, cocky person) = article

— 1. *'**article** = thing or person. "She's a smart young article that."'* (1942 Hist., North Down 'Glossary')

(soft man) bockan

— 1. *'**bockan** = a coward, a softie (ready tae rin, the **bockan**, whun he hard he needed a teeth oot)'* (1995 James Fenton, 'Hamely Tongue')

(spiteful, ill-tempered person) = ittèrcat

— 1. *'ittercat (-tth-) = a spiteful, ill-tempered person; a shrewish, sharp-tongued woman'* (1995 James Fenton, 'Hamely Tongue')

(stupid lazy person) = hash

— 1. *'Like him, fool **hash**!'* (1793 Samuel Thomson, 'Elegy on R—— I——');

— 2. *'**hash** = a lubber'* (1824 Hist., George Dugall 'Northern Cottage Glossary');

— 3. *'**hash** = a lazy, untidy person'* (1880 Hist., William Patterson 'Glossary of Antrim and Down')

(stupid obstinate person) = donkey

— 1. *'**donkey** = fig. a stupid person'* (1995 James Fenton, 'Hamely Tongue')

(stupid person) = gumph

— 1. *'See yon great **gumph** the wee ane rangs'* (1844 Poem, Robert Huddleston 'The Lammas Fair');

— 2. *'**gumph** = a stupid person'* (1880 Hist., William Patterson 'Glossary of Antrim and Down')

(stupid, open-mouthed person) = gawpie

— 1. *'But ghaistly guid-for-naething **gawpies**, / That spindle up to silly tawpies'* (1831 Poem, Joseph Carson 'Epistle to Abra'm Clark, A brother Poet')

(surly, dirty man) = brock

brock

— 1. '*Munchausen – bare-faced, leein'-**brock**'* (1846 Poem, Samuel Turner, 'Tailor Jock');

— 2. '***brock*** *= the badger. A nickname applied to a dirty person; as, You're a dirty **brock**; you're stinkin' like a **brock***' (1892 Hist., Mid-Antrim 'Glossary');

— 3. '***brock**= a badger; a slovenly or surly man*' (1995 James Fenton, 'Hamely Tongue')

(surly person) = chuff

— 1. '***chuff*** *= a surly person; a clown*' (1995 James Fenton, 'Hamely Tongue')

galumph

— 1. '***glumph** = another nickname, which would be applied to a sheepish sort of youngster*' (1892 Hist., Mid-Antrim 'Glossary');

— 2. '***glumph** = one who is provokingly empty-headed*' (1931 Hist., M. Montgomery (Ballymena), 'Northern Whig: Letters on Ulster Vernacular');

— 3. '***glumph**, also **galumph** = a fool; a gawky, awkward person; a surly person*' (1995 James Fenton, 'Hamely Tongue')

(sullen, morose person) = glunsh

— 1. '***glunsh** = a sullen, morose person*' (1995 James Fenton, 'Hamely Tongue')

(talkative or complaining person) = yap

— 1. '*yap* = *to continue asking for something, or talking about it*" "*Ye're aye* **yappin** *about something, if it's not one thing, then it's another*" *(discontented)*' (1942 Hist., North Down 'Glossary');

— 2. '*yap* = *a talkative or complaining person (She's a despert* **yap***)*' (1995 James Fenton, 'Hamely Tongue')

(troublesome, spiteful person) = attercap

— 1. '*attercap* = *a cross-grained, ill-natured person*' … '*Ya cross* **attercap***, ya*" (1880 Hist., William Patterson 'Glossary of Antrim and Down');

— 2. '*attercap, attercat* *(I have heard both words)* = *ill-tempered; as, You crabbit* **attercat***'* (1892 Hist., Mid-Antrim 'Glossary');

— 3. '*attercap* = *a cantankerous person*' (1924 Hist., 'A.E' (Ballycarry), 'Northern Whig: Ulster Words and Phrases');

— 4. '*atter-cap* = *one whose temper flares up for little*' (1931 Hist., M. Montgomery (Ballymena), 'Northern Whig: Letters on Ulster Vernacular');

— 5. '*attercap* = *name given to a person or child who aggravates or annoys.* "*You're a cheeky young* **attercap***.*"' (1942 Hist., North Down 'Glossary');

— 6. '*attercap (-tth-)* = *a troublesome or spiteful person*' (1995 James Fenton 'Hamely Tongue')

(trying, wearying person) = werd

— 1. '*werd* = *a trying, wearying person, thing, activity, etc.* *(This hingin an waitin's a sore* **werd***)*' (1995 James Fenton, 'Hamely Tongue')

(uncouth, unsophisticated person) = coorse Christian

(untidy, dirty woman) = clart

— 1. '*clart* = *a dirty, slovenly woman*' (1880 Hist., William Patterson 'Glossary of Antrim and Down');

— 2. '*clart* = *a slovenly person*' (1924 Hist., 'Peadar', 'Northern Whig: Ulster Words and Phrases');

— 3. '*clart* = *a dirty untidy person*' (1942 Hist., North Down 'Glossary');

— 4. '*clat, clart* = *an untidy, dirty woman; a slattern*' (1995 James Fenton, 'Hamely Tongue')

(untrustworthy person) = merchant

— 1. '*merchant* = *derog. a person (of dubious character: Keep yer eye on thon **merchant**)*' (1995 James Fenton, 'Hamely Tongue')

(useless or nasty person) = blirt

— 1. '*blirt* = *a term of contempt. "Go 'long ye **blirt** ye."*' (1942 Hist., North Down 'Glossary');

— 2. '*He's a crabbit ould **blirt***' (1951 Prose, Sam Hanna Bell 'December Bride');

— 3. '*blirt* = *an objectionable, useless or nastily disposed person (silly **blirt**; useless **blirt**; durty **blirt**)*' (1995 James Fenton, 'Hamely Tongue')

(useless, conceited person) = skite

(vain, but harmless person) = falorey

— 1. *'falorey = (of a person) vain, slightly ridiculous but harmless'* (1995 James Fenton, 'Hamely Tongue')

(violent, rough-tempered person) = coorse

(weak, mean, cringing person) = snool

— 1. '*Wi' Cotter* **snools** *man feed and fyke!*' (1799 Poem, Samuel Thomson 'Allan, Damon, Sylvander, and Edwin, A Pastoral');

— 2. *'snool = a spiritless drudge'* (1824 Hist., George Dugall 'Northern Cottage Glossary');

— 3. *'Go on poor* **snools***, I grudge not your wealth scrubs'* (1844 Poem, Robert Huddleston 'A Song (II)');

— 4. *'snool = an ill-tempered, sneaking fellow'* (1880 Hist., William Patterson 'Glossary of Antrim and Down');

— 5. *'snool = a mean fellow who would not feel or take an affront'* (1892 Hist., Mid-Antrim 'Glossary')

(witty person) = canatte

— 1. *'canatte = an amusing child, a young prankster, a witty person'* (1995 James Fenton, 'Hamely Tongue')

(witty, amusing person) = geg

— 1. *'geg = a witty, amusing person (A quare* **geg***, so ye ir)'* (1995 James Fenton, 'Hamely Tongue')

(witty, entertaining person) = hyatte

— 1. *'hyatte = a witty or amusing person; one quick at witty repartee'* (1995 James Fenton, 'Hamely Tongue')

(worthless, unreliable person) = loon

— 1. *'And learn'd the Latin **Lowns** sic Springs to play'* (c. 1722 Poem, William Starrat of Strabane: 'A Pastoral in Praise of Allan Ramsay');

— 2. *'Rain down a Shower o' Whuttles upon the B——s, the wallopping **Loons**, that wears the Lawn Sleeves'* (1733 Prose, Anon., *A North-Country Grace*);

— 3. *'When Willy Wood, base **loon**, did a' he dow'd'* (1753 Poem, William Starrat, 'Elegy on the death of Jonathan Swift');

— 4. *'Tho' some **loons** ca'd thee selfish rogue ay'* (1793 Samuel Thomson, 'Elegy on R—— I——');

— 5. *'Than Pallas, Jove, or Mars, or onie heathenish **loon**'* (1799 Poem, Samuel Thomson 'Allan, Damon, Sylvander, and Edwin, A Pastoral');

— 6. *'Gif that's na done, whate'er ilk **loun**'* (1804 Poem, James Orr, 'Donegore Hill');

— 7. *'But what thro' fear those **loons** befel'* (1828 Poem, Sarah Leech 'Address to Lettergull');

— 8. *'**loon** = a simpleton, a fellow'* (1828 Hist., Sarah Leech 'Glossary');

— 9. *'For this ye awkward lang-faced **loon**'* (1831 Poem, Joseph Carson 'My Auld Mither's Address');

— 10. *'That beggar **louns** may eat'* (1846 Poem, Samuel Turner, 'Song. The Farmer's Lament');

— 11. '*gin ye misca' me agin, I'll poo' yer neb—ye ill-faured* **loon**' (1875 Prose, W. R. Ancketill, 'The Adventures of Mick Callighin, M.P. A Story of Home Rule');

— 12. '**loun** = *a boy; a low, idle fellow*' (1880 Hist., William Patterson 'Glossary of Antrim and Down');

— 13. '**loon** = *a worthless fellow*' (1892 Hist., Mid-Antrim 'Glossary');

— 14. '*It makes mony a crafty man / Intae a doatin'* **loon**' (1903 Poem, Adam Lynn, 'Love')

DESCRIPTIVE NAMES FOR PEOPLE: PHYSICAL ATTRIBUTES

(awkward, gawky person) = chookie

— 1. *'chookie = an awkward, gawky person'* (1995 James Fenton, 'Hamely Tongue')

dunkle

— 1. *'dunkle = a coward; an awkward, stupid person'* (1995 James Fenton, 'Hamely Tongue')

galumph

— 1. *'glumph = another nickname, which would be applied to a sheepish sort of youngster'* (1892 Hist., Mid-Antrim 'Glossary');

— 2. *'glumph = one who is provokingly empty-headed'* (1931 Hist., M. Montgomery (Ballymena), 'Northern Whig: Letters on Ulster Vernacular');

— 3. *'glumph, also galumph = a fool; a gawky, awkward person; a surly person'* (1995 James Fenton, 'Hamely Tongue')

pyock

— 1. *'pyock = an awkward, bashful person; a gawk'* (1995 James Fenton, 'Hamely Tongue)

tyock

— 1. *'tyock = (of turkeys) call, esp. in alarm. n. a turkey's alarm call; a gawky, awkward person'* (1995 James Fenton, 'Hamely Tongue')

167

(bedridden person) = bedèral;

(big, coarse, dirty man) = rullion

— 1. '*rullion, sb. a big, coarse, dirty fellow*' (1880 Hist., William Patterson 'Glossary of Antrim and Down');

— 2. '*rullion = a big, coarse, dirty man*' (1995 James Fenton, 'Hamely Tongue')

(big, fat woman) = frow

— 1. '*frow = a contemptible name applied to woman; as, A big fat frow; a lazy big frow*' (1892 Hist., Mid-Antrim 'Glossary')

powltaice

— 1. '*powltaice = a poultice; a big, fat woman; a mess, a nasty encumbrance with which one is 'stuck' (It's a powltaice ye'll niver be redd o)*' (1995 James Fenton, 'Hamely Tongue')

(big, heavy person) = sowser

— 1. '*sowser = a big, heavy person*' (1995 James Fenton, 'Hamely)

(big, lazy man) = hallion

— 1. '*hallion = a coarse, idle, worthless fellow*' (1880 Hist., William Patterson 'Glossary of Antrim and Down');

— 2. '*hallion = an uncouth lazy fellow*' (1892 Hist., Mid-Antrim 'Glossary');

— 3. '*hallion = fool*' (1931 Hist., 'Tyroner' (Tyrone), 'Northern Whig: Letters on Ulster Vernacular');

— 4. '*hallion or* **hellion** = *tall and awkward but strong woman*' (1942 Hist., North Down 'Glossary');

— 5. '*hallion* = *uncouth person*' (1987 Hist., Tom Porter and Charles Cunningham, 'Mourne Dialect' in '12 Miles of Mourne – Journal of the Mourne Local Studies Group', Vol. 1)

hanch

— 1. '*hanch* = *hallion*' (1987 Hist., Tom Porter and Charles Cunningham, 'Mourne Dialect' in '12 Miles of Mourne – Journal of the Mourne Local Studies Group', Vol. 1)

looby

— 1. '*looby* = *a great, loose, indolent fellow*' (1880 Hist., William Patterson 'Glossary of Antrim and Down');

— 2. '*looby* = *a big, lazy man*' (1995 James Fenton, 'Hamely Tongue')

lump

— 1. '**lazy lump** = a heavy, indolent person' (1995 James Fenton, 'Hamely Tongue')

rook

— 1. '*rook* = *a big, lazy man; a lout*' (1995 James Fenton, 'Hamely Tongue')

(big, soft person) = calve

(big, ungainly man) = hulge

— 1. '*hulge* = *any large unshapely mass*' ... 'A *hulge* of a horse,' a loose-limbed horse' (1880 Hist., William Patterson 'Glossary of Antrim and Down');

— 2. *'hulge = an irregular mass of matter, as clay falling or sliding down'* (1892 Hist., Mid-Antrim 'Glossary');

— 3. *'hulge, also* **huliach** *= a shapeless mass; a big, ungainly man or horse (a big, ra-baned* **hulge** *o a horse)'* (1995 James Fenton, 'Hamely Tongue')

kerl

— 1. *'kerl = a big, awkward man; a strong but clumsy man'* (1995 James Fenton, 'Hamely Tongue')

reenge

— 1. *'reenge = strong and hefty'* (1931 Hist., 'J.C' (Larne), 'Northern Whig: Letters on Ulster Vernacular');

— 2. *'reenge = a big (esp. tall and raw-boned) man or horse (esp. a big* **reenge** *o a boady, horse, etc.)'* (1995 James Fenton, 'Hamely Tongue')

stilch

— 1. *'They've bra' stout* **stilches**; *tho' they haunt ay'* (1804 Poem, James Orr, 'Epistle to N— — P——, Oldmill');

— 2. *'Be it elder or* **stilch** *o' a Guardian she marries'* (1900 Poem, Thomas Given, 'Preacher Randy and his Country Lass')

(blundering, stupid person) = cuddy

— 1. *'cuddy = a donkey; a blundering, stupid person'* (1924 Hist., 'W.J.M.B', 'Northern Whig: Ulster Words and Phrases')

(clumsy, blundering person) = blootèr

— 1. *'blootther = a clumsy blundering rustic'* (1880 Hist., William Patterson 'Glossary of Antrim and Down');

— 2. '*blooter* = *a clumsy person, or unhandy*' (1942 Hist., North Down 'Glossary');

— 3. '*blooter* (*-tth-*) = *a clumsy, blundering person*' (1995 James Fenton 'Hamely Tongue')

bachle

— 1. '*baghel, boghel* = *a clumsy performer*' (1880 Hist., William Patterson 'Glossary of Antrim and Down');

— 2. '*bachal* or *baghal* = *an awkward unhandy person, a bungler*' (1892 Hist., Mid-Antrim 'Glossary');

— 3. '*bahal, pachal* = *an unwieldy, unhandy person*' (1924 Hist., 'W.J.M.B', 'Northern Whig: Ulster Words and Phrases');

— 4. '*bahaul* = *unhandy*' (1931 Hist., 'Tyroner' (Tyrone), 'Northern Whig: Letters on Ulster Vernacular');

— 5. '*baghal* or *bachal* = *spoiled work. "He made a baghal of it." (He spoiled it in the making.)*' (1942 Hist., North Down 'Glossary');

— 6. '*bachle* = *a clumsy, blundering person*' (1995 James Fenton, 'Hamely Tongue')

pachle

— 1. '*paughal* = *unhandy, awkward. "He's no good of a workman, he's only a paughal" "He was paughalin about." (He was going about the house doing odd jobs, and doing them badly)*' (1942 Hist., North Down 'Glossary');

— 2. '*That pachel — he's only an ould jinny of a man*' (1951 Prose, Sam Hanna Bell 'December Bride');

— 3. '*pac³hle* or *pag³hle* = *a fat, slow unathletic person. [³The "agh" or "ach" guttural sound was very frequently used and was sounded as "gh" in the word "lough"]*' (1973 Hist., Ards and North Down 'Glossary');

— 4. '*paghal* = *gross, lazy person; cow pat*' (1987 Hist., Tom Porter and Charles Cunningham, 'Mourne Dialect' in '12 Miles of Mourne – Journal of the Mourne Local Studies Group', Vol. 1);

— 5. '*pachle* = *a blundering, inefficient worker (Ooty mae road, for ye'r only a **pachle**). v. work clumsily and ineffectually*' (1995 James Fenton, 'Hamely Tongue')

(deformed or lame person) = lametèr

— 1. '*laimeter, lamiter* = *a lame person*' (1880 Hist., William Patterson 'Glossary of Antrim and Down');

— 2. '*lamiter* = *a person who has met with an injury and who is laid up from it*' (1892 Hist., Mid-Antrim 'Glossary');

— 3. '*lameter* = *one who walks lamely*' (1942 Hist., North Down 'Glossary');

— 4. '*lameter* (*-tth-*) = *a cripple; a person having a permanent limp; a deformed person*' (1995 James Fenton, 'Hamely Tongue')

(fat, clumsy person) = püddin

— 1. '*pudden* (*r. sudden*) = *a pudding; a fat, clumsy person (esp. glunterpudden)*' (1995 James Fenton, 'Hamely Tongue')

(fat, lazy person) = brosey

— 1. '*brosey* = *fat and red cheeked; as, A micht a known hir by hir big **brosey** face*' (1892 Hist., Mid-Antrim 'Glossary');

— 2. '*brosey* = *a fat, lazy person (pres. from eating too much BROSE)*' (1995 James Fenton, 'Hamely Tongue') orson

— 1. '*orson* = *a fat, lazy person*' (1995 James Fenton, 'Hamely Tongue');

(growing boy) = cullion

— 1. '*cullion* = *a growing boy*' (1995 James Fenton, 'Hamely Tongue')

gulpin

— 1. '*gulpin* = *a raw youth; a growing boy; a fool*' (1995 James Fenton, 'Hamely Tongue')

(half-grown boy) = whult

— 1. '*whult* = *a growing child, a half-grown boy. (a richt **whult** o a fella: maybe ten year owl)*' (1995 James Fenton, 'Hamely Tongue')

(heavy, indolent person) = lazy lump

— 1. '*lazy lump* = *a heavy, indolent person*' (1995 James Fenton, 'Hamely Tongue')

(highly skilled person) = dab han

— 1. '*dab han* = *a highly skilled person (He's a **dab han** at daein naethin an gettin weel pied for it)*' (1995 James Fenton, 'Hamely Tongue')

(large, lazy and unclean woman) = jum

— 1. '*jum* = *a large, unreliable, trouble-giving car or other machine; a large, lazy and probably none too clean woman*' (1995 James Fenton, 'Hamely Tongue')

fum

— 1. *'**fum** = (a disparaging term for) a woman (implying obesity, indolence and probably uncleanliness)'* (1995 James Fenton, 'Hamely Tongue')

(large, tall man) = gint o a man

— 1. *'**gint** = a large or esp. tall specimen (usu. a man: a big rugh **gint** o a boady; occas. a house, etc.: nae need o a big **gint** o a hoose at oor time o day)'* (1995 James Fenton, 'Hamely Tongue')

(manly-looking woman) = rung

— 1. *'And ha! he's libbin' yon aul' **rung**'* (1844 Poem, Robert Huddleston 'The Lammas Fair');

— 2. *'**rung** = a big-boned animal'* (1994 Hist., Anon., 'Animals and Insects' in 'Ullans', Nummer 2)

(motley crowd) = gether-up

— 1. *'**gether-up** = a hotchpotch; a motley crowd'* (1995 James Fenton, 'Hamely Tongue')

clamjamfrey

— 1. *'**clan-jamfrey**, **clam-jamfrey** = a whole lot of people'* (1880 Hist., William Patterson 'Glossary of Antrim and Down');

— 2. *'**clam-jamphrey** = a mixture of odds and ends. "I never saw such a **clam-jamphrey** in all my life."'* (1942 Hist., North Down 'Glossary');

— 3. *'clamjamfrey = a conglomeration; a mob; a large collection of varied items'* (1995 James Fenton, 'Hamely Tongue')

(obese, slow person) = grullion

— 1. *'grullion = (esp.) a fat pig; an obese person'* (1995 James Fenton, 'Hamely Tongue')

grulsh

— 1. *'grulsh = a short fat person or animal; as, A fine grulsh o' a wee pig'* (1892 Hist., Mid-Antrim 'Glossary');

— 2. *'grulsh = a slow, awkward, obese person'* (1995 James Fenton, 'Hamely Tongue')

(old, broken-down person) = crock

— 1. *'An' wadna be a cleigh'rin crock'* (1804 Poem, James Orr, 'Epistle to N—— P——, Oldmill')

(old, eccentric person) = oul clod

(old, peculiar-looking person) = fogie

— 1. *'fogey = a nickname applied to old people of peculiar appearance'* (1892 Hist., Mid-Antrim 'Glossary')

(old woman) = carlin

— 1. *'The Carlines live for ever in thy Sang'* (c. 1722 Poem, William Starrat of Strabane: 'A Pastoral in Praise of Allan Ramsay');

— 2. *'Link it alang like countra* **carline***'* (1799 Poem, Samuel Thomson 'The Bonnet – A Poem, Addresed to a Reverend Miser');

— 3. *'That cring't wi' fear when* **carlin's** *gruesome / Discours't o' Nick'* (1804 Poem, James Orr, 'Address to Mr. A——, Carrickfergus');

— 4. *'For fear I should the* **carlin** *anger'* (1824 Poem, George Dugall 'Epistle To Mr. J—— D——, Coshquin');

— 5. *'sae he cried in tha seiven* **carlins** *he kepp as hauns for his ain sel'* (1997 Prose, Philip Robinson, 'Esther: Quaen o tha Ulidian Pechts')

(old, worn-out man) =carl

— 1. *'Can tak' a common country* **carl***'* (1813 Poem, Hugh Porter 'To the Prince Regent');

— 2. *'***carle** *= old man'* (1813 Hist., Hugh Porter 'Glossary');

— 3. *'***carl** *= an old man'* (1824 Hist., George Dugall 'Northern Cottage Glossary');

— 4. *'Oh! haud ye auld* **carl** *- thou gear huggin' booby'* (1844 Poem, Robert Huddleston 'Sweet Bloomin' Lassie o' Lovely Drumarrah');

— 5. *'O whare lives the lassie wad tak' the auld* **cairlie?***'* (1846 Poem, Samuel Turner, 'Song. The Laird o' Glencraigie');

— 6. *'He was a tall* **carl***, wi' thin black hair'* (1907 Prose, 'Andrew James' (James Andrew Strahan), 'Nabob Castle. A Legend of Ulster' in Blackwoods Edinburgh Magazine, Feb. 1907)

daen man

— 1. *'***done man** *= a worn-out old man'* (1880 Hist., William Patterson 'Glossary of Antrim and Down');

— 2. '**done man** = *a man for whom there is no hope of recovery*' (1942 Hist., North Down 'Glossary')

(pretty girl) = doll

— 1. '**doll** = *a pretty girl; a girlfriend (It's a present for the doll)*' (1995 James Fenton, 'Hamely Tongue')

quean

— 1. '*Blaw up my Heart-strings ye Pierian **Quines***' (c. 1722 Poem, William Starrat of Strabane: 'A Pastoral in Praise of Allan Ramsay');

— 2. '*I count her but a tawpy **quean***' (1846 Poem, Samuel Turner, 'Song. O, But the Lads are Ready');

— 3. '*He saen tha **quine** o tha pair o thaim furst*' (1998 Prose, Lee Reynolds, 'An Sae The Wur Gan' in Ullans, Nummer 6)

(raw youth) = glipe

— 1. '*Yon **glype** sae buxsom*' (1844 Poem, Robert Huddleston 'On Salts');

— 2. '**glipe** = *an uncouth fellow*' (1880 Hist., William Patterson 'Glossary of Antrim and Down');

— 3. '**glipe** = *a raw youth; a fool*' (1995 James Fenton, 'Hamely Tongue')

gostran

— 1. '**gostran** = *a raw youth; an awkward, simple fellow*' (1995 James Fenton, 'Hamely Tongue')

grawl

— 1. '**grawl** = *a young growing person; as, He's but a **grawl** o' a fellow*' (1892 Hist., Mid-Antrim 'Glossary')

gulpin

— 1. *'gulpin = a raw youth; a growing boy; a fool'* (1995 James Fenton, 'Hamely Tongue'); **(raw, ungainly youth)** = raliachan

— 1. *'rallighan = a raw ungainly youth'* (1892 Hist., Mid-Antrim 'Glossary');

— 2. *'raliachan = a raw, ungainly youth'* (1995 James Fenton, 'Hamely Tongue')

(rough, awkward girl) = clamp

— 1. *'clamp = a rough. awkward girl; a precocious girl'* (1995 James Fenton, 'Hamely Tongue')

(short, fat person) = pilch

— 1. *'pilch = a short fat person'* (1892 Hist., Mid-Antrim 'Glossary')

(slight person) = skift

— 1. *'skift = a slight person (a wee licht **skift** o a hizzy)'* (1995 James Fenton, 'Hamely Tongue')

(slight, incapable person) = wachle

— 1. *'wachle = shuffle along, wearily or weakly. n. a weak, laboured gait; a wobble; a slight, incapable person'* (1995 James Fenton, 'Hamely Tongue')

(slouching, useless person) = slootèr

— 1. *'slouter = an untidy awkward fellow with bad fitting clothes'* (1892 Hist., Mid-Antrim 'Glossary');

— 2. *'sloutherin = idly lounging about. A "slouter," = a lazy good for nothing'* (1935 hist., 'P.D' 'Mid-Ulster Mail: Letters on Ulster Vernacular');

— 3. *'slooter (-tth-) = a slovenly, incompetent person or worker; a slouching, useless person'* (1995 James Fenton, 'Hamely Tongue')

(slovenly, incompetent person) = slootèr

— 1. *'slouter = an untidy awkward fellow with bad fitting clothes'* (1892 Hist., Mid-Antrim 'Glossary');

— 2. *'sloutherin = idly lounging about. A "slouter," = a lazy good for nothing'* (1935 hist., 'P.D' 'Mid-Ulster Mail: Letters on Ulster Vernacular');

— 3. *'slooter (-tth-) = a slovenly, incompetent person or worker; a slouching, useless person'* (1995 James Fenton, 'Hamely Tongue')

(slow, deliberate person) = draigle o a boadie

— 1. *'draigle, (in full) a draigle o a boady = a slow, deliberate person; one who walks with a slow, shuffling gait'* (1995 James Fenton, 'Hamely Tongue');

— 2. *'an iz plowterin lake fegogged **dreechles** in grun that wuz sapplin an nixt tae a gullion eftther the plump'* (1996 Prose, James Fenton, 'An Ulster-Scots letter' in Ullans, Nummer 4);

— 3. *'But flippin's naw the **dreechle's** wie'* (2004 Poem, James Fenton, 'He'd Awa' in Ullans, Nummers 9 & 10)

(slow, fat person) = gluntèrpudden

— 1. '*glunterpudden* = *a slow, fat person*' (1995 James Fenton, 'Hamely Tongue')

(small boy) = gral

— 1. '*gral* = *a small boy (a **gral** o a chap); a puny, insignificant person (Thon **gral** shapin tae fecht!)*' (1995 James Fenton, 'Hamely Tongue');

— 2. '*a **gral** o a weefla lake me kilt wheelin tae him*' (1997 Prose, James Fenton, 'The Flow' in Ullans, Nummer 5);

— 3. '*or twa drookit **grals** wud sprachle up the broo an jook tae dry their claes in the boiler-hoose afore they wur captered an taen in*' (2001 Prose, James Fenton, 'The Lade' in Ullans, Nummer 8)

(small, crabbed person) = knur

— 1. '*knur, also **knurl** = a dwarf, a runt. a small, crabbed person; a small pig*' (1995 James Fenton, 'Hamely Tongue')

(small, fat person) = bumfle

— 1. '*bumful* = *a lump or gathering of things badly arranged, chiefly referring to clothing*' (1892 Hist., Mid-Antrim 'Glossary');

— 2. '*bumfle* = *a small untidy parcel or the bulge produced, say by a pocket in one's clothes being crammed too full. Ususally, however, if my memory serves me right, a "**bumfle**" is applied to something soft, not to something hard; for instance, a large scarf crammed into the pocket would produce a "**bumfle**", but not a book or a solid body*' (1931

Hist., 'Scrutator' (Mid-Antrim), 'Northern Whig: Letters on Ulster Vernacular');

— 3. '*bumfle* = *an untidy bundle*. "*She was well **bumfled** up with clothes*."' (1942 Hist., North Down 'Glossary');

— 4. '*bumfle* = *a small fat person*' (1995 James Fenton, 'Hamely Tongue')

gudge

— 1. '***gudge*** = *a short, thick, fat person*' ... '*He's just a **gudge** of a man*' (1880 Hist., William Patterson 'Glossary of Antrim and Down')

(small, insignificant person) = crowl

— 1. '*wee **crowl** = insignificant person*' (1931 Hist., 'Ulster' (Lisburn), 'Northern Whig: Letters on Ulster Vernacular')

dyach

— 1. '***dyach*** = *(a term of contempt for) a small, insignificant person*' (1995 James Fenton, 'Hamely Tongue')

scrat

— 1. '***scrat*** = *something small*' ... '*The fowls he had were only wee **scrats***" (1880 Hist., William Patterson 'Glossary of Antrim and Down');

— 2. '*The wife scolded the husband for being beaten by* "*a bit of a **scrat** of a doctor*".' (1894 Newsp., 'A Militant Medico' in Derry Journal, 19 October, 1894);

— 3. '***scrat*** = *anything very small or insignificant*' (1953 Hist., Michael Traynor, 'Dialect of Donegal')

nadger

— 1. '***nadger*** = *a 'fly' man; a small, insignificant person; a boy*' (1995 James Fenton, 'Hamely Tongue')

nyaff

— 1. '***nyaff*** = *a small, insignificant person; a puny but conceited person (yin upsettin wee **nyaff**)*' (1995 James Fenton, 'Hamely Tongue')

(small man) = crab

— 1. '***crab*** = *a small ill-natured person*' (1942 Hist., North Down 'Glossary');

— 2. '***crab*** = *derog. or contempt. a precocious boy, a small man*' (1995 James Fenton, 'Hamely Tongue')

(small, nasty or despicable person) = screw

— 1. '***screw*** = *a small, despicable person; a nasty little person*' (1995 James Fenton, 'Hamely Tongue')

(small, pert and shrewd person) = nakkety

— 1. '***nakkety*** = *adj. (of a person) small and pert, shrewd, etc.*' (1995 James Fenton, 'Hamely Tongue')

(small, precocious or objectionable person) = whap, whalp

— 1. '***whap***, *also **whalp** = a small precocious or objectionable person (Me feared o thon **whap**!)*' (1995 James Fenton, 'Hamely Tongue')

(small, ridiculous person) = ornyment

— 1. '***ornyment*** = *ornament; a small, ridiculous person (Wud ye tak a luck at thon **ornyment**!)*' (1995 James Fenton, 'Hamely Tongue')

(strong, clumsy man) = kerl

— 1. *'kerl = a big, awkward man; a strong but clumsy man'* (1995 James Fenton, 'Hamely Tongue')

(stunted, shrivelled person) = scrae

— 1. *'scrae = contempt. a very small person; a brat; a stunted, shrivelled person'* (1995 James Fenton, 'Hamely Tongue')

(tall, thin man) = swank

— 1. *'swank = a tall, thin man'* (1880 Hist., William Patterson 'Glossary of Antrim and Down');

— 2. *'swank = a tall, thin man'* (1995 James Fenton, 'Hamely Tongue')

(tall, thin person) = streeker

— 1. *'streeker = a nickname for a very tall person. Heth that's a **streeker**'* (1892 Hist., Mid-Antrim 'Glossary')

tang'l

— 1. *'tangle (tahng'l) = (esp. w. **lang**) a very tall, thin person'* (1995 James Fenton, 'Hamely Tongue')

lang drink o wattèr

— 1. *'lang drink o watter = a very tall thin person (also **lang string o misery; lang tangle**'* (1995 James Fenton, 'Hamely Tongue')

lang whang

— 1. *'lang whang = a tall, thin person'* (1995 James Fenton, 'Hamely Tongue')

winnle strae

— 1. 'That **Winle Stra** o' Newtown-airds, / That's ranked now, forsooth, wi' Lairds' (1797 Poem, Anon. (Rev. James Porter?), 'Ye Reptiles a' …' Northern Star, 10 October, 1797);

— 2. '**winnle stroe** = a stalk of withered grass' (1880 Hist., William Patterson 'Glossary of Antrim and Down');

— 3. '**wunnelstrae** = the tough withered flower stalks of crested dog's tail are known as **wunnelstrae**' (1892 Hist., Mid-Antrim 'Glossary');

— 4. '**wunnle-stray** = poor, 'thin' hay; gleanings of hay or straw' (1995 James Fenton, 'Hamely Tongue');

— 5. 'wuz the shoart fine lint, lake **wunnlestray**, maistly on scappy or hung'ry grun' (1999 Prose, James Fenton 'Lint' in Ullans, Nummer 7)

(thin, gaunt man) = ribe

— 1. '**ribe** = a very thin person' (1924 Hist., 'A Screed frae Cookstown (II)', 'Northern Whig: Ulster Words and Phrases');

— 2. '**ribe** = a poor animal' (1931 Hist., M. Montgomery (Ballymena), 'Northern Whig: Letters on Ulster Vernacular');

— 3. '**ribe** = a poor, ill-fed beast; a thin, gaunt man' (1995 James Fenton, 'Hamely Tongue')

(thin, gaunt person) = shaird

(thin, slight person) = wach, wacht

— 1. '*wach, also **wacht** = a thin, slight person*' (1995 James Fenton, 'Hamely Tongue')

ruggle o banes

— 1. '*ruggle o' banes = a thin person*' (1880 Hist., William Patterson 'Glossary of Antrim and Down')

(thin, wizened person) = wing

— 1. '*wing = fig. a thin, wizened person (a wee owl **wing**)*' (1995 James Fenton, 'Hamely Tongue')

skinadhre

— 1. '*skinadhre = a thin, fleshless, stunted person*' (1880 Hist., William Patterson 'Glossary of Antrim and Down')

(underdeveloped person) = pappin

— 1. '*pappin, also **pappit** = a child; an under-developed person; a small, ridiculous figure*' (1995 James Fenton, 'Hamely Tongue');

— 2. '*Bae thon wee **pappin**'s fiels it gaen*' (2001 Prose, James Fenton, 'The Lade' in Ullans, Nummer 8)

(undersized person) = crowl

— 1. '*crowl = an underdeveloped pig or other animal; an undersized person*' (1995 James Fenton, 'Hamely Tongue')

purn

— 1. *'purn = any undersized thing; derog. a very small person'*
(1995 James Fenton, 'Hamely Tongue')

(ungainly or slovenly person) = hochle

— 1. *'Boost* **houghel** *on, ere fastened / Their breeks, that day'*
(1804 Poem, James Orr, 'Donegore Hill');

— 2. *'*haughle *= to walk badly; to hobble'* (1880 Hist., William
Patterson 'Glossary of Antrim and Down');

— 3. *'*haughal *= careless slipshod way of walking. "He was*
haughlin *along"'* (1942 Hist., North Down 'Glossary');

— 4. *'*hauc³hle *or* haug³hle *= to walk in a slow laboured shuf-
fling way as if lame or feeble. [³ The "agh" or "ach" guttural
sound was very frequently used and was sounded as "gh"
in the word "lough"]'* (1973 Hist., Ards and North Down
'Glossary')

— 5. *'*hoghal *= to walk awkwardly; a person who does so'*
(1987 Hist., Tom Porter and Charles Cunningham,
'Mourne Dialect' in '12 Miles of Mourne – Journal of
the Mourne Local Studies Group', Vol. 1);

— 6. *'*hochle *= hobble, totter along' ... 'a hobbling or shuffling
gait'* (1995 James Fenton, 'Hamely Tongue')

(unshapely, slatternly woman) = bag

— 1. *'*bag *(-ah-) = derog. an unshapely, slatternly woman'*
(1995 James Fenton, 'Hamely Tongue')

(very thin person) = skyble

— 1. *'skyble = a very thin person'* (1995 James Fenton, 'Hamely Tongue')

(young girl) = weelass

— 1. *'diverting himself with thon **wee lass** of Mr. Keag's'* (1879 Prose, May Crommelin 'Orange Lily');

— 2. *'**wee lass** = a female child; a young girl'* (1995 James Fenton, 'Hamely Tongue');

— 3. *'girl = lass, **weelass**, hizzie'* (1997 Philip Robinson, 'Ulster-Scots Grammar: Pronouns and People')

giglet

— 1. *'That self-will'd, head-strong **giglet**, she'* (1813 Hist., Hugh Porter 'To J. J., A Brither Rhymer');

— 2. *'**giglet** = a young girl'* (1813 Hist., Hugh Porter 'Glossary')

(young, trim girl) = cutty

— 1. *'Ye menseless tawpies! ye bauld **cutties**! ye wanton limmers! ye'* (1832 Prose, Samuel Ferguson 'The Wet Wooing');

— 2. *'**cutty** = a short pipe. Applied frequently to young country girls; as, she's a smart little **cutty**'* (1892 Hist., Mid-Antrim 'Glossary');

— 3. *'I cannae face the ither **cutties** wi a big black shilcorn on me neb'* (1991 Prose, John A Oliver 'Girl, Name Forgotten');

— 4. *'**cutty** = a young, trim girl (as nait a wee **cutty** as ye iver lucked at)'* (1995 James Fenton, 'Hamely Tongue')

Printed in Great Britain
by Amazon

10439448R00111